Les Révoltés de la Bounty

Jules Verne

Les Révoltés de la Bounty

Suivi de

Lord Byron

L'Île

La Bounty appartenait à la Royal Navy britannique. Son nom est resté célèbre en raison de la mutinerie, menée par Fletcher Christian, d'une partie de l'équipage contre le capitaine William Bligh le 28 avril 1789.

Jules Verne

Les Révoltés de la Bounty

(1879)

I

L'abandon

Pas le moindre souffle, pas une ride à la surface de la mer, pas un nuage au ciel. Les splendides constellations de l'hémisphère austral se dessinent avec une incomparable pureté. Les voiles de la *Bounty* pendent le long des mâts, le bâtiment est immobile, et la lumière de la lune, pâlissant devant l'aurore qui se lève, éclaire l'espace d'une lueur indéfinissable.

La *Bounty*, navire de deux cent quinze tonneaux monté par quarante-six hommes, avait quitté Spithead, le 23 décembre 1787, sous le commandement du capitaine Bligh, marin expérimenté mais un peu rude, qui avait accompagné le capitaine Cook dans son dernier voyage d'exploration[1].

La *Bounty* avait pour mission spéciale de transporter aux Antilles l'arbre à pain, qui pousse à profusion dans l'archipel de Tahiti. Après une relâche de six mois dans la baie de Matavai, William Bligh, ayant chargé un millier de ces arbres, avait pris la route des Indes occidentales, après un assez court séjour aux îles des Amis.

Maintes fois, le caractère soupçonneux et emporté du capitaine avait amené des scènes désagréables entre quelques-uns de ses officiers et lui. Cependant, la tranquillité qui régnait à bord de la *Bounty*, au lever du soleil, le 28 avril 1789,

---

1. Nous croyons bon de prévenir nos lecteurs que ce récit n'est point une fiction. Tous les détails en sont pris aux annales maritimes de la Grande-Bretagne. La réalité fournit quelquefois des faits si romanesques que l'imagination elle-même ne pourrait rien y ajouter.

ne faisait rien présager des graves événements qui allaient se produire.

Tout semblait calme, en effet, lorsque tout à coup une animation insolite se propage sur le bâtiment. Quelques matelots s'accostent, échangent deux ou trois paroles à voix basse, puis disparaissent à petits pas.

Est-ce le quart du matin qu'on relève ? Quelque accident inopiné s'est-il produit à bord ?

— Pas de bruit surtout, mes amis, dit Fletcher Christian, le second de la *Bounty*. Bob, armez votre pistolet, mais ne tirez pas sans mon ordre. Vous, Churchill, prenez votre hache et faites sauter la serrure de la cabine du capitaine. Une dernière recommandation : il me le faut vivant !

Suivi d'une dizaine de matelots armés de sabres, de coutelas et de pistolets, Christian se glissa dans l'entrepont ; puis, après avoir placé deux sentinelles devant la cabine de Stewart et de Peter Heywood, le maître d'équipage et le midshipman de la *Bounty*, il s'arrêta devant la porte du capitaine.

— Allons, garçons, dit-il, un bon coup d'épaule !

La porte céda sous une pression vigoureuse, et les matelots se précipitèrent dans la cabine.

Surpris d'abord par l'obscurité, et réfléchissant peut-être à la gravité de leurs actes, ils eurent un moment d'hésitation.

— Holà ! qu'y a-t-il ? Qui donc ose se permettre ?... s'écria le capitaine en sautant à bas de son cadre.

— Silence, Bligh ! répondit Churchill. Silence, et n'essaye pas de résister, ou je te bâillonne !

— Inutile de t'habiller, ajouta Bob. Tu feras toujours assez bonne figure, lorsque tu seras pendu à la vergue d'artimon !

— Attachez-lui les mains derrière le dos, Churchill, dit Christian, et hissez-le sur le pont !

— Le plus terrible des capitaines n'est pas bien redoutable, quand on sait s'y prendre, fit observer John Smith, le philosophe de la bande.

Puis le cortège, sans s'inquiéter de réveiller ou non les matelots du dernier quart, encore endormis, remonta l'escalier et reparut sur le pont.

C'était une révolte en règle. Seul de tous les officiers du bord, Young, un des midshipmen, avait fait cause commune avec les révoltés.

Quant aux hommes de l'équipage, les hésitants avaient dû céder pour l'instant, tandis que les autres, sans armes, sans chef, restaient spectateurs du drame qui allait s'accomplir sous leurs yeux.

Tous étaient sur le pont, rangés en silence ; ils observaient la contenance de leur capitaine, qui, demi-nu, s'avançait la tête haute au milieu de ces hommes habitués à trembler devant lui.

— Bligh, dit Christian, d'une voix rude, vous êtes démonté de votre commandement.

— Je ne vous reconnais pas le droit…, répondit le capitaine.

— Ne perdons pas de temps en protestations inutiles, s'écria Christian, qui interrompit Bligh. Je suis, en ce moment, l'interprète de tout l'équipage de la *Bounty*. Nous n'avions pas encore quitté l'Angleterre que nous avions déjà à nous plaindre de vos soupçons injurieux, de vos procédés brutaux. Lorsque je dis nous, j'entends les officiers aussi bien que les matelots. Non seulement nous n'avons jamais pu obtenir la satisfaction qui nous était due, mais vous avez toujours rejeté nos plaintes avec mépris ! Sommes-nous donc des chiens, pour être injuriés à tout moment ? Canailles, brigands, menteurs, voleurs ! vous n'aviez pas d'expression assez forte, d'injure assez grossière pour nous ! En vérité, il faudrait ne pas être un homme pour supporter pareille existence ! Et moi, moi votre compatriote, moi qui connais votre famille, moi qui ai déjà fait deux voyages sous vos ordres, m'avez-vous épargné ? Ne m'avez-vous pas accusé, hier encore, de vous avoir volé quelques misérables fruits ? Et les hommes ! Pour un rien, aux fers ! Pour une bagatelle, vingt-quatre coups de corde ! Eh bien, tout se paye en ce monde ! Vous avez été trop libéral avec nous, Bligh ! À notre tour ! Vos injures, vos injustices, vos accusations insensées, les tortures morales et physiques dont vous avez accablé votre équipage depuis un an et demi, vous allez les expier durement ! Capitaine, vous avez été jugé par ceux que vous avez offensés, et vous êtes condamné. Est-ce bien cela, camarades ?

— Oui, oui, à mort! s'écrièrent la plupart des matelots, en menaçant leur capitaine.

— Capitaine Bligh, reprit Christian, quelques-uns avaient parlé de vous hisser au bout d'une corde entre le ciel et l'eau. D'autres proposaient de vous déchirer les épaules avec le chat à neuf queues, jusqu'à ce que mort s'ensuivît. Ils manquaient d'imagination. J'ai trouvé mieux que cela. D'ailleurs, vous n'êtes pas seul coupable ici. Ceux qui ont toujours fidèlement exécuté vos ordres, si cruels qu'ils fussent, seraient au désespoir de passer sous mon commandement. Ils ont mérité de vous accompagner là où le vent vous poussera. Qu'on amène la chaloupe!

Un murmure désapprobateur accueillit ces dernières paroles de Christian, qui ne parut pas s'en inquiéter. Le capitaine Bligh, que ces menaces ne parvenaient pas à troubler, profita d'un instant de silence pour prendre la parole.

— Officiers et matelots, dit-il d'une voix ferme, en ma qualité d'officier de la marine royale, commandant la *Bounty*, je proteste contre le traitement que vous voulez me faire subir. Si vous avez à vous plaindre de la façon dont j'ai exercé mon commandement, vous pouvez me faire juger par une cour martiale. Mais vous n'avez pas réfléchi, sans doute, à la gravité de l'acte que vous allez commettre. Porter la main sur votre capitaine, c'est vous mettre en révolte contre les lois existantes, c'est rendre pour vous tout retour impossible dans votre patrie, c'est vouloir être traités comme des forbans! Tôt ou tard, c'est la mort ignominieuse, la mort des traîtres et des rebelles! Au nom de l'honneur et de l'obéissance que vous m'avez jurés, je vous somme de rentrer dans le devoir!

— Nous savons parfaitement à quoi nous nous exposons, répondit Churchill.

— Assez! Assez! cria l'équipage, prêt à des voies de fait.

— Eh bien, dit Bligh, s'il vous faut une victime, que ce soit moi, mais moi seul! Ceux de mes compagnons que vous condamnez comme moi n'ont fait qu'exécuter mes ordres!

La voix du capitaine fut alors couverte par un concert de vociférations, et il dut renoncer à toucher ces cœurs devenus impitoyables.

Pendant ce temps, les dispositions avaient été prises pour que les ordres de Christian fussent exécutés.

Cependant, un assez vif débat s'était élevé entre le second et plusieurs des révoltés qui voulaient abandonner sur les flots le capitaine Bligh et ses compagnons sans leur donner une arme, sans leur laisser une once de pain.

Quelques-uns — et c'était l'avis de Churchill, — trouvaient que le nombre de ceux qui devaient quitter le navire n'était pas assez considérable. Il fallait se défaire, disait-il, de tous les hommes qui, n'ayant pas trempé directement dans le complot, n'étaient pas sûrs. On ne pouvait compter sur ceux qui se contentaient d'accepter les faits accomplis. Quant à lui, son dos lui faisait encore mal des coups de fouet qu'il avait reçus pour avoir déserté à Tahiti. Le meilleur, le plus rapide moyen de le guérir, ce serait de lui livrer d'abord le commandant!... Il saurait bien se venger, et de sa propre main!

— Hayward! Hallett! cria Christian, en s'adressant à deux des officiers, sans tenir compte des observations de Churchill, descendez dans la chaloupe.

— Que vous ai-je fait, Christian, pour que vous me traitiez ainsi? dit Hayward. C'est à la mort que vous m'envoyez!

— Les récriminations sont inutiles! Obéissez, ou sinon!... Fryer, embarquez aussi!

Mais ces officiers, au lieu de se diriger vers la chaloupe, se rapprochèrent du capitaine Bligh, et Fryer, qui semblait le plus déterminé, se pencha vers lui en disant:

— Commandant, voulez-vous essayer de reprendre le bâtiment? Nous n'avons pas d'armes, il est vrai; mais ces mutins, surpris, ne pourront résister. Si quelques-uns d'entre nous sont tués, qu'importe! On peut tenter la partie! Que vous en semble?

Déjà les officiers prenaient leurs dispositions pour se jeter sur les révoltés, occupés à dépasser la chaloupe de ses portemanteaux, lorsque Churchill, à qui cet entretien, si rapide qu'il fût, n'avait pas échappé, les entoura avec quelques hommes bien armés, et les fit embarquer de force.

— Millward, Muspratt, Birket, et vous autres, dit Christian

en s'adressant à quelques-uns des matelots qui n'avaient point pris part à la révolte, descendez dans l'entrepont, et choisissez ce que vous avez de plus précieux! Vous accompagnez le capitaine Bligh. Toi, Morrison, surveille-moi ces gaillards-là! Purcell, prenez votre coffre de charpentier, je vous permets de l'emporter.

Deux mâts avec leurs voiles, quelques clous, une scie, une demi-pièce de toile à voile, quatre petites pièces contenant cent vingt-cinq litres d'eau, cent cinquante livres de biscuit, trente-deux livres de porc salé, six bouteilles de vin, six bouteilles de rhum, la cave à liqueur du capitaine, voilà tout ce que les abandonnés eurent permission d'emporter. On leur jeta, en outre, deux ou trois vieux sabres, mais on leur refusa toute espèce d'armes à feu.

— Où sont donc Heywood et Stewart? dit Bligh, quand il fut dans la chaloupe. Eux aussi m'ont-ils trahi?

Ils ne l'avaient pas trahi, mais Christian avait résolu de les garder à bord.

Le capitaine eut alors un moment de découragement et de faiblesse bien pardonnable, qui ne dura pas.

— Christian, dit-il, je vous donne ma parole d'honneur d'oublier tout ce qui vient de se passer, si vous renoncez à votre abominable projet! Je vous en supplie, pensez à ma femme et à ma famille! Moi mort, que deviendront tous les miens!

— Si vous aviez eu quelque honneur, répondit Christian, les choses n'en seraient point arrivées à ce point. Si vous-même aviez pensé un peu plus souvent à votre femme, à votre famille, aux femmes et aux familles des autres, vous n'auriez pas été si dur, si injuste envers nous tous!

À son tour, le bosseman, au moment d'embarquer, essaya d'attendrir Christian. Ce fut en vain.

— Il y a trop longtemps que je souffre, répondit ce dernier avec amertume. Vous ne savez pas quelles ont été mes tortures! Non! cela ne pouvait durer un jour de plus, et, d'ailleurs, vous n'ignorez pas que, durant tout le voyage, moi, le second de ce navire, j'ai été traité comme un chien! Cependant, en me séparant du capitaine Bligh, que je ne reverrai probablement jamais, je veux bien, par pitié, ne pas lui enlever tout espoir de salut. Smith! descendez dans la cabine du capitaine, et reportez-lui ses vêtements, sa commission, son journal et son portefeuille. De plus, qu'on lui remette mes Tables nautiques et mon propre sextant. Il aura ainsi quelque chance de pouvoir sauver ses compagnons et se tirer d'affaire lui-même!

Les ordres de Christian furent exécutés, non sans quelque protestation.

— Et maintenant, Morrison, largue l'amarre, cria le second devenu le premier, et à la grâce de Dieu!

Tandis que les révoltés saluaient d'acclamations ironiques le capitaine Bligh et ses malheureux compagnons, Christian, appuyé contre le bastingage, ne pouvait détacher les yeux de la chaloupe qui s'éloignait. Ce brave officier, dont la conduite, jusqu'alors loyale et franche, avait mérité les éloges de tous les commandants sous lesquels il avait servi, n'était plus aujourd'hui que le chef d'une bande de forbans. Il ne lui serait plus permis de revoir ni sa vieille mère, ni sa fiancée, ni les rivages de l'île de Man, sa patrie. Il se sentait déchu dans sa propre estime, déshonoré aux yeux de tous! Le châtiment suivait déjà la faute!

II

Les abandonnés

Avec ses dix-huit passagers, officiers et matelots, et le peu de provisions qu'elle contenait, la chaloupe qui portait Bligh était tellement chargée, qu'elle dépassait à peine de quinze pouces le niveau de la mer. Longue de vingt et un pieds, large de six, elle pouvait être parfaitement appropriée au service de la *Bounty* ; mais, pour contenir un équipage aussi nombreux, pour faire un voyage un peu long, il était difficile de trouver embarcation plus détestable.

Les matelots, confiants dans l'énergie et l'habileté du capitaine Bligh et des officiers confondus dans le même sort, nageaient vigoureusement, et la chaloupe fendait rapidement les lames.

Bligh n'avait pas hésité sur le parti à prendre. Il fallait, tout d'abord, regagner au plus tôt l'île Tofoa, la plus voisine du groupe des îles des Amis, qu'ils avaient quittée quelques jours avant, il fallait y recueillir des fruits de l'arbre à pain, renouveler l'approvisionnement d'eau, et, de là, courir sur Tonga-Tabou. On pourrait sans doute y prendre des vivres en assez grande quantité pour faire la traversée jusqu'aux établissements hollandais de Timor, si, par crainte des indigènes, l'on ne voulait pas s'arrêter dans les innombrables archipels semés sur la route.

La première journée se passa sans incident, et la nuit tombait, lorsqu'on découvrit les côtes de Tofoa. Par malheur, le rivage était si rocheux, la plage si accore, qu'on ne pouvait y débarquer de nuit. Il fallut donc attendre le jour.

Bligh, à moins de nécessité absolue, entendait ne pas toucher aux provisions de la chaloupe. Il fallait donc que l'île nourrît ses hommes et lui. Cela semblait devoir être difficile, car, tout d'abord, lorsqu'ils furent à terre, ils ne rencontrèrent pas trace d'habitants. Quelques-uns, cependant, ne tardèrent pas à se montrer, et, ayant été bien reçus, ils en amenèrent d'autres, qui apportèrent un peu d'eau et quelques noix de coco.

L'embarras de Bligh était grand. Que dire à ces naturels qui avaient déjà trafiqué avec la *Bounty* pendant sa dernière relâche? À tout prix, il importait de leur cacher la vérité, afin de ne pas détruire le prestige dont les étrangers avaient été entourés jusqu'alors dans ces îles.

Dire qu'ils étaient envoyés aux provisions par le bâtiment resté au large? Impossible, puisque la *Bounty* n'était pas visible, même du haut des collines! Dire que le navire avait fait naufrage, et que les indigènes voyaient en eux les seuls survivants de naufragés? C'était encore la fable la plus vraisemblable. Peut-être les toucherait-elle, les amènerait-elle à compléter les provisions de la chaloupe. Bligh s'arrêta donc à ce dernier parti, si dangereux qu'il fût, et il prévint ses hommes, afin que tout le monde fût d'accord sur cette fable.

En entendant ce récit, les naturels ne firent paraître ni marque de joie ni signe de chagrin. Leur visage n'exprima qu'un profond étonnement, et il fut impossible de connaître ce qu'ils pensaient.

Le 2 mai, le nombre des indigènes venus des autres parties de l'île s'accrut d'une façon inquiétante, et Bligh put bientôt juger qu'ils avaient des intentions hostiles. Quelques-uns essayèrent même de haler l'embarcation sur le rivage, et ne se retirèrent que devant les démonstrations énergiques du capitaine, qui dut les menacer de son coutelas. Pendant ce temps, quelques-uns de ses hommes, que Bligh avait envoyés à la recherche, rapportaient trois gallons d'eau.

Le moment était venu de quitter cette île inhospitalière. Au coucher du soleil, tout était prêt, mais il n'était pas facile de gagner la chaloupe. Le rivage était bordé d'une foule d'indigènes qui choquaient des pierres l'une contre l'autre, prêts à les lancer. Il fallait donc que la chaloupe se tînt à quelques toises du rivage et n'accostât qu'au moment même où les hommes seraient tout à fait prêts à embarquer.

Les Anglais, véritablement très inquiets des dispositions hostiles des naturels, redescendirent la grève, au milieu de deux cents indigènes, qui n'attendaient qu'un signal pour se jeter sur eux. Cependant, tous venaient d'entrer heureusement dans l'embarcation, lorsque l'un des matelots, nommé Bancroft, eut la funeste idée de revenir sur la plage pour chercher quelque objet qu'il y avait oublié. En une seconde, cet imprudent fut entouré par les naturels et assommé à coups de pierre, sans que ses compagnons, qui ne possédaient pas une arme à feu, pussent le secourir. D'ailleurs, eux-mêmes, à cet instant, étaient attaqués, des pierres pleuvaient sur eux.

— Allons, garçons, cria Bligh, vite aux avirons, et souquez ferme !

Les naturels entrèrent alors dans la mer et firent pleuvoir sur l'embarcation une nouvelle grêle de cailloux. Plusieurs hommes furent blessés. Mais Hayward, ramassant une des pierres qui étaient tombées dans la chaloupe, visa l'un des assaillants et l'atteignit entre les deux yeux. L'indigène tomba à la renverse en poussant un grand cri auquel répondirent les hourras des Anglais. Leur infortuné camarade était vengé.

Cependant, plusieurs pirogues se détachaient du rivage et leur donnaient la chasse. Cette poursuite ne pouvait se terminer que par un combat, dont l'issue n'aurait pas été heureuse, lorsque le maître d'équipage eut une lumineuse idée. Sans se douter qu'il imitait Hippomène dans sa lutte avec Atalante, il se dépouilla de sa vareuse et la jeta à la mer. Les naturels, lâchant la proie pour l'ombre, s'attardèrent afin de la ramasser, et cet expédient permit à la chaloupe de doubler la pointe de la baie.

Sur ces entrefaites, la nuit était entièrement venue, et les indigènes, découragés, abandonnèrent la poursuite de la chaloupe.

Cette première tentative de débarquement était trop malheureuse pour être renouvelée ; tel fut du moins l'avis du capitaine Bligh.

— C'est maintenant qu'il faut prendre une résolution, dit-il. La scène qui vient de se passer à Tofoa se renouvellera, j'en suis certain, à Tonga-Tabou, et partout où nous voudrons accoster. En petit nombre, sans armes à feu, nous serons absolument à la merci des indigènes. Privés d'objets d'échange, nous ne pouvons acheter de vivres, et il nous est impossible de nous les procurer de vive force. Nous sommes donc réduits à nos seules ressources. Or, vous savez comme moi, mes amis, combien elles sont misérables! Mais ne vaut-il pas mieux s'en contenter que de risquer, à chaque atterrissage, la vie de plusieurs d'entre nous? Cependant, je ne veux en rien vous dissimuler l'horreur de notre situation. Pour atteindre Timor, nous avons à peu près douze cents lieues à franchir, et il faudra vous contenter d'une once de biscuit par jour et d'un quart de pinte d'eau! Le salut est à ce prix seulement, et encore, à la condition que je trouverai en vous la plus complète obéissance. Répondez-moi sans arrière-pensée! Consentez-vous à tenter l'entreprise? Jurez-vous d'obéir à mes ordres quels qu'ils soient? Promettez-vous de vous soumettre sans murmure à ces privations?

— Oui, oui, nous le jurons! s'écrièrent d'une commune voix les compagnons de Bligh.

— Mes amis, reprit le capitaine, il faut aussi oublier nos torts réciproques, nos antipathies et nos haines, sacrifier en un mot nos rancunes personnelles à l'intérêt de tous, qui doit seul nous guider!

— Nous le promettons.

— Si vous tenez votre parole, ajouta Bligh, et, au besoin, je saurai vous y forcer, je réponds du salut.

La route fut faite vers l'O.-N.-O. Le vent, qui était assez fort, souffla en tempête dans la soirée du 4 mai. Les lames devinrent si grosses, que l'embarcation disparaissait entre elles, et semblait ne pouvoir se relever. Le danger augmentait à chaque instant. Trempés et glacés, les malheureux n'eurent pour se réconforter, ce jour-là, qu'une tasse à thé de rhum et le quart d'un fruit à pain à moitié pourri.

Le lendemain et les jours suivants, la situation ne changea pas. L'embarcation passa au milieu d'îles innombrables, d'où quelques pirogues se détachèrent.

Était-ce pour lui donner la chasse, était-ce pour faire quelques échanges? Dans le doute, il aurait été imprudent de s'arrêter.

Aussi, la chaloupe, les voiles gonflées par un bon vent, les eut bientôt laissées loin derrière elle.

Le 9 mai, un orage épouvantable éclata. Le tonnerre, les éclairs se succédaient sans interruption. La pluie tombait avec une force dont les plus violents orages de nos climats ne peuvent donner une idée. Il était impossible de faire sécher les vêtements. Bligh, alors, eut l'idée de les tremper dans l'eau de mer et de les imprégner de sel, afin de ramener à la peau un peu de la chaleur enlevée par la pluie. Toutefois, ces pluies torrentielles, qui causèrent tant de souffrances au capitaine et à ses compagnons, leur épargnèrent d'autres tortures encore plus horribles, les tortures de la soif, qu'une insoutenable chaleur eût bientôt provoquées.

Le 17 mai, au matin, à la suite d'un orage terrible, les plaintes devinrent unanimes :

— Jamais nous n'aurons la force d'atteindre la Nouvelle-Hollande, s'écrièrent les malheureux. Transpercés par la pluie, épuisés de fatigue, n'aurons-nous jamais un moment de repos ! À demi morts de faim, n'augmenterez-vous pas nos rations, capitaine ? Peu importe que nos vivres s'épuisent ! Nous trouverons facilement à les remplacer en arrivant à la Nouvelle-Hollande !

— Je refuse, répondit Bligh. Ce serait agir comme des fous. Comment ! nous n'avons franchi que la moitié de la distance qui nous sépare de l'Australie, et vous êtes déjà découragés ! Croyez-vous, d'ailleurs, pouvoir trouver facilement des vivres sur la côte de la Nouvelle-Hollande ! Vous ne connaissez donc pas le pays et ses habitants !

Et Bligh se mit à peindre à grands traits la nature du sol, les mœurs des indigènes, le peu de fond qu'il fallait faire sur leur accueil, toutes choses que son voyage avec le capitaine Cook lui avait appris à connaître. Pour cette fois encore, ses infortunés compagnons l'écoutèrent et se turent.

Les quinze jours suivants furent égayés par un clair soleil, qui permit de sécher les vêtements. Le 27, furent franchis les brisants qui bordent la côte orientale de la Nouvelle-Hollande. La mer était calme derrière cette ceinture madréporique, et quelques groupes d'îles, à la végétation exotique, réjouissaient les regards.

On débarqua en ne s'avançant qu'avec précaution. On ne trouva d'autres traces du séjour des naturels que d'anciennes places à feu. Il était donc possible de passer une bonne nuit à terre.

Mais il fallait manger. Par bonheur, un des matelots découvrit un banc d'huîtres. Ce fut un véritable régal.

Le lendemain, Bligh trouva dans la chaloupe un verre grossissant, un briquet et du soufre. Il fut donc à même de se procurer du feu pour faire cuire le gibier ou le poisson.

Bligh eut alors la pensée de diviser son équipage en trois escouades : l'une devait tout mettre en ordre dans l'embarcation ; les deux autres, aller à la recherche des vivres. Mais plusieurs hommes se plaignirent avec amertume, déclarant qu'ils aimaient mieux se passer de dîner que de s'aventurer dans le pays.

L'un d'eux, plus violent ou plus énervé que ses camarades, alla même jusqu'à dire au capitaine :

— Un homme en vaut un autre, et je ne vois pas pourquoi vous resteriez toujours à vous reposer ! Si vous avez faim, allez chercher de quoi manger ! Pour ce que vous faites ici, je vous remplacerai bien !

Bligh, comprenant que cet esprit de mutinerie devait être enrayé sur-le-champ, saisit un coutelas, et, en jetant un autre aux pieds du rebelle, il lui cria :

— Défends-toi, ou je te tue comme un chien !

Cette attitude énergique fit aussitôt rentrer le mutin en lui-même, et le mécontentement général se calma.

Pendant cette relâche, l'équipage de la chaloupe récolta abondamment des huîtres, des peignes et de l'eau douce.

Un peu plus loin, dans le détroit de l'Endeavour, de deux détachements envoyés à la chasse des tortues et des noddis, le premier revint les mains vides ; le second rapporta six noddis, mais il en aurait pris davantage sans l'obstination de l'un des chasseurs, qui, s'étant écarté de ses camarades, effraya ces oiseaux. Cet homme avoua, plus tard, qu'il s'était emparé de neuf de ces volatiles et qu'il les avait mangés crus sur place.

Sans les vivres et l'eau douce qu'ils venaient de trouver sur la côte de la Nouvelle-Hollande, il est bien certain que Bligh et ses compagnons auraient péri. D'ailleurs, tous étaient dans un état lamentable : hâves, défaits, épuisés, — de véritables cadavres.

Le voyage en pleine mer, pour gagner Timor, ne fut que la douloureuse répétition des souffrances déjà endurées par ces malheureux avant d'atteindre les côtes de la Nouvelle-Hollande.

Seulement, la force de résistance avait diminué chez tous, sans exception. Au bout de quelques jours, leurs jambes étaient enflées. Dans cet état de faiblesse extrême, ils étaient accablés par une envie de dormir presque continuelle. C'étaient les signes avant-coureurs d'une fin qui ne pouvait tarder beaucoup. Aussi Bligh, qui s'en aperçut, distribua une double ration aux plus affaiblis et s'efforça de leur rendre un peu d'espoir.

Enfin, le 12 juin au matin, la côte de Timor apparut, après trois mille six cent dix-huit lieues d'une traversée accomplie dans des conditions épouvantables.

L'accueil que les Anglais reçurent à Coupang fut des plus sympathiques. Ils y restèrent deux mois pour se refaire. Puis, Bligh, ayant acheté un petit schooner, gagna Batavia, où il s'embarqua pour l'Angleterre.

Ce fut le 14 mars 1790 que les abandonnés débarquèrent à Portsmouth. Le récit des tortures qu'ils avaient endurées excita la sympathie universelle et l'indignation de tous les gens de cœur. Presque aussitôt, l'Amirauté procédait à l'armement de la frégate *Pandore*, de vingt-quatre canons et de cent soixante hommes d'équipage, et l'envoyait à la poursuite des révoltés de la *Bounty*.

On va voir ce qu'ils étaient devenus.

III

Les révoltés

Après que le capitaine Bligh eut été abandonné en pleine mer, la *Bounty* avait fait voile pour Tahiti. Le jour même, elle atteignait Toubouïa. Le riant aspect de cette petite île, entourée d'une ceinture de roches madréporiques, invitait Christian à y descendre ; mais les démonstrations des habitants parurent trop menaçantes, et le débarquement ne fut pas effectué.

Ce fut le 6 juin 1789 que l'ancre tomba dans la rade de Matavai. La surprise des Tahitiens fut extrême en reconnaissant la *Bounty*. Les révoltés retrouvèrent là les indigènes avec lesquels ils avaient été en rapport dans une précédente relâche, et ils leur racontèrent une fable, à laquelle ils eurent soin de mêler le nom du capitaine Cook, dont les Tahitiens avaient conservé le meilleur souvenir.

Le 29 juin, les révoltés repartirent pour Toubouaï et se mirent en quête de quelque île qui fût située en dehors de la route ordinaire des bâtiments, dont le sol fût assez fertile pour les nourrir, et sur laquelle ils pussent vivre en toute sécurité. Ils errèrent ainsi d'archipel en archipel, commettant toutes sortes de déprédations et d'excès, que l'autorité de Christian ne parvenait que bien rarement à prévenir.

Puis, attirés encore une fois par la fertilité de Tahiti, par les mœurs douces et faciles de ses habitants, ils regagnèrent la baie de Matavai. Là, les deux tiers de l'équipage descendirent aussitôt à terre. Mais, le soir même, la *Bounty* avait levé l'ancre et disparu, avant que les matelots débarqués eussent pu soupçonner l'intention de Christian de partir sans eux.

Livrés à eux-mêmes, ces hommes s'établirent sans trop de regrets dans différents districts de l'île. Le maître d'équipage

Stewart et le midshipman Peter Heywood, les deux officiers que Christian avait exceptés de la condamnation prononcée contre Bligh, et avait emmenés malgré eux, restèrent à Matavai auprès du roi Tippao, dont Stewart épousa bientôt la sœur. Morrison et Millward se rendirent auprès du chef Péno, qui leur fit bon accueil. Quant aux autres matelots, ils s'enfoncèrent dans l'intérieur de l'île et ne tardèrent pas à épouser des Tahitiennes.

Churchill et un fou furieux nommé Thompson, après avoir commis toute sorte de crimes, en vinrent tous deux aux mains. Churchill fut tué dans cette lutte, et Thompson lapidé par les naturels. Ainsi périrent deux des révoltés qui avaient pris la plus grande part à la rébellion. Les autres surent, au contraire, par leur bonne conduite, se faire chérir des Tahitiens.

Cependant, Morrison et Millward voyaient toujours le châtiment suspendu sur leurs têtes et ne pouvaient vivre tranquilles dans cette île où ils auraient été facilement découverts. Ils conçurent donc le dessein de construire un schooner, sur lequel ils essayeraient de gagner Batavia, afin de se perdre au milieu du monde civilisé. Avec huit de leurs compagnons, sans autres outils que ceux du charpentier, ils parvinrent, non sans peine, à construire un petit bâtiment qu'ils appelèrent *Résolution*, et ils l'amarrèrent dans une baie derrière une des pointes de Tahiti, nommée la pointe Vénus. Mais l'impossibilité absolue où ils se trouvaient de se procurer des voiles les empêcha de prendre la mer.

Pendant ce temps, forts de leur innocence, Stewart cultivait un jardin, et Peter Heywood réunissait les matériaux d'un vocabulaire, qui fut, plus tard, d'un grand secours aux missionnaires anglais.

Cependant, dix-huit mois s'étaient écoulés lorsque, le 23 mars 1791, un vaisseau doubla la pointe Vénus et s'arrêta dans la baie Matavai. C'était la *Pandore*, envoyée à la poursuite des révoltés par l'Amirauté anglaise.

Heywood et Stewart s'empressèrent de se rendre à bord, déclarèrent leurs noms et qualités, racontèrent qu'ils n'avaient pris aucune part à la révolte ; mais on ne les crut pas, et ils furent aussitôt mis aux fers, ainsi que tous leurs compagnons, sans que la moindre enquête eût été faite. Traités avec l'inhumanité la plus révoltante, chargés de chaînes, menacés d'être fusillés s'ils se servaient de la langue tahitienne pour converser entre eux, ils furent enfermés dans une cage de onze pieds de long, placée à l'extrémité du gaillard d'arrière, et qu'un amateur de mythologie décora du nom de « boîte de Pandore ».

Le 19 mai, la *Résolution*, qui avait été pourvue de voiles, et la *Pandore* reprirent la mer. Pendant trois mois, ces deux bâtiments croisèrent à travers l'archipel des Amis, où l'on supposait que Christian et le reste des révoltés avaient pu se réfugier. La *Résolution*, d'un faible tirant d'eau, rendit même de grands services pendant cette croisière ; mais elle disparut dans les parages de l'île Chatam, et, bien que la *Pandore* fût restée plusieurs jours en vue, jamais on n'en entendit parler, ni des cinq marins qui la montaient.

La *Pandore* avait repris la route d'Europe avec ses prisonniers, lorsque, dans le détroit de Torrès, elle donna contre un écueil de corail et sombra presque aussitôt avec trente et un de ses matelots et quatre des révoltés.

L'équipage et les prisonniers qui avaient échappé au naufrage gagnèrent alors un îlot sablonneux. Là, les officiers et les matelots purent s'abriter sous des tentes ; mais les rebelles, exposés aux ardeurs d'un soleil vertical, furent réduits, pour trouver un peu de soulagement, à s'enfoncer dans le sable jusqu'au cou.

Les naufragés restèrent sur cet îlot pendant quelques jours ; puis, tous gagnèrent Timor dans les chaloupes de la *Pandore*, et la surveillance si rigoureuse dont les mutins étaient l'objet ne fut pas un moment négligée, malgré la gravité des circonstances.

Arrivés en Angleterre au mois de juin 1792, les révoltés passèrent devant un conseil de guerre présidé par l'amiral Hood. Les débats durèrent six jours et se terminèrent par l'acquittement de quatre des accusés et la condamnation à mort des six autres, pour crime de désertion et enlèvement du bâtiment confié à leur garde. Quatre des condamnés furent pendus à bord d'un vaisseau de guerre ; les deux autres, Stewart et Peter Heywood, dont l'innocence avait enfin été reconnue, furent graciés.

Mais qu'était devenue la *Bounty*? Avait-elle fait naufrage avec les derniers des révoltés? Voilà ce qu'il était impossible de savoir.

En 1814, vingt-cinq ans après la scène par laquelle ce récit commence, deux navires de guerre anglais croisaient en Océanie sous le commandement du capitaine Staines. Ils se trouvaient, au sud de l'archipel Dangereux, en vue d'une île montagneuse et volcanique que Carteret avait découverte dans son voyage autour du monde, et à laquelle il avait donné le nom de Pitcairn. Ce n'était qu'un cône, presque sans rivage, qui s'élevait à pic au-dessus de la mer, et que tapissaient jusqu'à sa cime des forêts de palmiers et d'arbres à pain. Jamais cette île n'avait été visitée; elle se trouvait à douze cents milles de Tahiti, par vingt-cinq degrés quatre minutes de latitude sud et cent quatre-vingts degrés huit minutes de longitude ouest; elle ne mesurait que quatre milles et demi à sa circonférence, et un mille et demi seulement à son grand axe, et l'on n'en savait que ce qu'en avait rapporté Carteret.

Le capitaine Staines résolut de la reconnaître et d'y chercher un endroit convenable pour débarquer.

En s'approchant de la côte, il fut surpris d'apercevoir des cases, des plantations, et, sur la plage, deux naturels qui, après avoir lancé une embarcation à la mer et traversé habilement le ressac, se dirigèrent vers son bâtiment. Mais son étonnement n'eut plus de bornes, lorsqu'il s'entendit interpeller, en excellent anglais, par cette phrase:

— Hé! vous autres, allez-vous nous jeter une corde, que nous montions à bord!

À peine arrivés sur le pont, les deux robustes rameurs furent entourés par les matelots stupéfaits, qui les accablaient de questions auxquelles ils ne savaient que répondre. Conduits devant le commandant, ils furent interrogés régulièrement.

— Qui êtes-vous?

— Je m'appelle Fletcher Christian, et mon camarade, Young.

Ces noms ne disaient rien au capitaine Staines, qui était bien loin de penser aux survivants de la *Bounty*.

— Depuis quand êtes-vous ici?

— Nous y sommes nés.

— Quel âge avez-vous ?

— J'ai vingt-cinq ans, répondit Christian, et Young dix-huit.

— Vos parents ont-ils été jetés sur cette île par quelque naufrage ?

Christian fit alors au capitaine Staines l'émouvante confession qui va suivre et dont voici les principaux faits :

En quittant Tahiti, où il abandonnait vingt et un de ses camarades, Christian, qui avait à bord de la *Bounty* le récit de voyage du capitaine Carteret, s'était dirigé directement vers l'île Pitcairn, dont la position lui avait semblé convenir au but qu'il se proposait. Vingt-huit hommes composaient encore l'équipage de la *Bounty*. C'étaient Christian, l'aspirant Young et sept matelots, six Tahitiens pris à Tahiti, dont trois avec leurs femmes et un enfant de dix mois, plus trois hommes et six femmes, indigènes de Roubouai.

Le premier soin de Christian et de ses compagnons, dès qu'ils eurent atteint l'île Pitcairn, avait été de détruire la *Bounty*, afin de n'être pas découverts. Sans doute, ils s'étaient enlevé par là toute possibilité de quitter l'île, mais le soin de leur sécurité l'exigeait.

L'établissement de la petite colonie ne devait pas se faire sans difficultés, avec des gens qu'unissait seule la solidarité d'un crime. De sanglantes querelles avaient éclaté bientôt entre les Tahitiens et les Anglais. Aussi, en 1794, quatre des mutins survivaient-ils seulement. Christian était tombé sous le couteau de l'un des indigènes qu'ils avaient amenés. Tous les Tahitiens avaient été massacrés.

Un des Anglais, qui avait trouvé le moyen de fabriquer des spiritueux avec la racine d'une plante indigène, avait fini par s'abrutir dans l'ivresse, et pris d'un accès de delirium tremens, s'était précipité du haut d'une falaise dans la mer.

Un autre, en proie à un accès de folie furieuse, s'était jeté sur Young et sur un des matelots, nommé John Adams, qui s'étaient vus forcés de le tuer. En 1800, Young était mort pendant une violente crise d'asthme.

John Adams fut alors le dernier survivant de l'équipage des révoltés.

Resté seul avec plusieurs femmes et vingt enfants, nés du mariage de ses camarades avec les Tahitiennes, le caractère de John Adams s'était modifié profondément. Il n'avait que trente-six ans alors ; mais, depuis bien des années, il avait assisté à tant de scènes de violence et de carnage, il avait vu la nature humaine sous de si tristes aspects, qu'après avoir fait un retour sur lui-même, il s'était tout à fait amendé.

Dans la bibliothèque de la *Bounty*, conservée sur l'île, se trouvaient une Bible et plusieurs livres de prières. John Adams, qui les lisait fréquemment, se convertit, éleva dans d'excellents principes la jeune population qui le considérait comme un père, et devint, par la force des choses, le législateur, le grand prêtre et, pour ainsi dire, le roi de Pitcairn.

Cependant, jusqu'en 1814, ses alarmes avaient été continuelles. En 1795, un bâtiment s'étant approché de Pitcairn, les quatre survivants de la *Bounty* s'étaient cachés dans des bois inaccessibles et n'avaient osé redescendre dans la baie qu'après le départ du navire. Même acte de prudence, lorsqu'en 1808, un capitaine américain débarqua sur l'île, où il s'empara d'un chronomètre et d'une boussole, qu'il fit parvenir à l'Amirauté anglaise ; mais l'Amirauté ne s'émut pas à la vue de ces reliques de la *Bounty*. Il est vrai qu'elle avait en Europe des préoccupations d'une bien autre gravité, à cette époque.

Tel fut le récit fait au commandant Staines par les deux naturels, anglais par leurs pères, l'un fils de Christian, l'autre fils de Young, mais, lorsque Staines demanda à voir John Adams, celui-ci refusa de se rendre à bord, avant de savoir ce qu'il adviendrait de lui.

Le commandant, après avoir assuré aux deux jeunes gens que John Adams était couvert par la prescription, puisque vingt-cinq ans s'étaient écoulés depuis la révolte de la *Bounty*, descendit à terre, et il fut reçu à son débarquement par une population composée de quarante-six adultes et d'un grand nombre d'enfants. Tous étaient grands et vigoureux, avec le type anglais nettement accusé ; les jeunes filles surtout étaient admirablement belles, et leur modestie leur imprimait un caractère tout à fait séduisant.

Les lois mises en vigueur dans l'île étaient des plus simples. Sur un registre était noté ce que chacun avait gagné par son travail. La monnaie était inconnue ; toutes les transactions se faisaient au moyen de l'échange, mais il n'y avait pas d'industrie, car les matières premières manquaient. Les habitants portaient pour tout habillement des vastes chapeaux et des ceintures d'herbe. La pêche et l'agriculture, telles étaient leurs principales occupations. Les mariages ne se faisaient qu'avec la permission d'Adams, et lorsque l'homme avait défriché et planté un terrain assez vaste pour subvenir à l'entretien de sa future famille.

Le commandant Staines, après avoir recueilli les documents les plus curieux sur cette île, perdue dans les parages les moins fréquentés du Pacifique, reprit la mer et revint en Europe.

Depuis cette époque, le vénérable John Adams a terminé sa carrière si accidentée. Il est mort en 1829, et a été remplacé par le révérend George Nobbs, qui remplit encore dans l'île les fonctions de pasteur, de médecin et de maître d'école.

En 1853, les descendants des révoltés de la *Bounty* étaient au nombre de cent soixante-dix individus. Depuis lors, la population ne fit que s'accroître, et devint si nombreuse, que, trois ans plus tard, elle dut s'établir en grande partie sur l'île Norfolk, qui avait jusqu'alors servi de station pour les convicts. Mais une partie des émigrés regrettaient Pitcairn, bien que Norfolk fût quatre fois plus grande, que son sol fût remarquable par sa richesse, et que les conditions de l'existence y fussent bien plus faciles. Au bout de deux ans de séjour, plusieurs familles retournèrent à Pitcairn, où elles continuent à prospérer.

Tel fut donc le dénouement d'une aventure qui avait commencé d'une façon si tragique. Au début, des révoltés, des assassins, des fous, et maintenant, sous l'influence des principes de la morale chrétienne et de l'instruction donnée par un matelot converti, l'île Pitcairn est devenue la patrie d'une population douce, hospitalière, heureuse, chez laquelle se retrouvent les mœurs patriarcales des premiers âges.

Lord Byron

L'Île

ou Christian et ses compagnons

(1823)

Traduit de l'anglais par Benjamin Laroche

Avertissement de l'auteur

Les principaux événements qui forment la base de ce poème sont tirés en partie du récit de la révolte et de la capture du vaisseau la Bounty *dans les mers du Sud, en 1789, par le lieutenant Bligh, en partie de la* Relation des îles Tonga, *par Mariner.*

Gênes, 1823.

Chant premier

I

  L'heure de quart du matin était arrivée ; le vaisseau continuait sa marche et poursuivait avec grâce sa route liquide ; au milieu des vagues jaillissantes la proue majestueuse creusait un rapide sillon. En face, le monde des eaux se déroulait à perte de vue ; derrière, étaient semés les îlots de la mer du Sud. La nuit paisible, commençant à replier ses ombres et à se diaprer de lumière, était arrivée à ce moment qui sépare les ténèbres de l'aurore ; les dauphins, sentant l'approche du jour, s'élevaient à la surface, comme empressés de recevoir ses premiers rayons ; les étoiles voyaient leur clarté pâlir devant des clartés plus vives, et cessaient de baisser vers l'Océan leurs brillantes paupières ; la voile, naguère obscurcie, reprenait sa blancheur, et une brise rafraîchissante soufflait sur les flots.

  Déjà l'Océan pourpré annonce la venue du soleil ; mais avant qu'il paraisse, quelque chose va se passer.

II

  Le chef vaillant dort dans sa cabine, plein de confiance dans ceux qui veillent ; ses songes lui retracent le rivage aimé de la vieille Angleterre, ses fatigues récompensées, ses périls terminés ; son nom a pris place sur la liste glorieuse de ceux qui ont été à la découverte du pôle qu'entourent les tempêtes. Le plus pénible est passé, et tout semble lui répondre du reste ; pourquoi donc son sommeil ne serait-il pas paisible ? Hélas !

son tillac est foulé par des pieds indociles, et des mains audacieuses veulent s'emparer du commandement ; ce sont de jeunes cœurs soupirant après l'une de ces îles qu'un beau soleil éclaire, où l'âme se réchauffe au sourire de l'été et de la femme ; ce sont des hommes sans patrie, qui, après une trop longue absence, n'ont point retrouvé le toit natal, ou l'ont trouvé changé ; des hommes à demi civilisés, qui préfèrent une vie sauvage, douce et tendre, à la vague incertaine. Les fruits spontanés que la nature prodigue sans culture ; les bois qui n'ont de sentiers que ceux que trace le caprice ; les champs où l'abondance prodigue ses dons à tous indistinctement ; la terre possédée en commun, n'appartenant à personne ; ce désir, que les siècles n'ont pu étouffer dans l'homme, de n'avoir de maître que sa volonté ; la terre, dont les trésors invendus sont à sa surface, et n'ayant d'or que ses produits et les rayons du soleil ; la liberté, qui dans chaque grotte trouve une demeure ; ce jardin universel où tous peuvent se promener, où la nature avoue une nation pour sa fille, et se complaît au spectacle de sa sauvage félicité, nation heureuse, ayant pour toute richesse des coquillages et des fruits, pour marine des canots qui n'ont jamais perdu le rivage de vue, pour plaisirs la vague écumeuse et la chasse, et pour qui le spectacle le plus étrange c'est un visage européen : voilà les objets, voilà le pays que ces étrangers brûlent de revoir ; cette vue leur coûtera cher.

III

Brave Bligh, éveille-toi ! L'ennemi est à ta porte ! Éveille-toi ! Éveille-toi ! Hélas ! il est trop tard ! Les mutins ont fièrement pris place à la porte de ta chambre, et ont proclamé le règne de la fureur et de la crainte. Tes membres sont garrottés ; la baïonnette est appuyée sur ta poitrine ; ceux qui tremblaient naguère à ta voix te déclarent leur prisonnier, et te traînent sur le tillac, où désormais à ton commandement ne manœuvrera plus le gouvernail, ne s'enflera plus la voile. Le sauvage instinct qui cherche à étouffer sous des manifestations de colère la voix du devoir audacieusement violé, éclate autour de toi, aux regards surpris de ceux qui redoutent encore le chef qu'ils sacrifient; car l'homme ne peut jamais faire totalement taire sa conscience, à moins d'épuiser la coupe enivrante de la passion.

IV

En vain, sans te laisser imposer silence par l'aspect de la mort, ta voix, au péril de ta vie, fait un appel à ceux qui sont restés fidèles: ils ne viennent pas; ils sont en petit nombre, et, comprimés par la terreur, ils sont forcés d'approuver ce que des cœurs plus farouches applaudissent. En vain tu leur demandes les motifs de leur conduite; ils ne répondent que par un jurement et la menace d'un traitement plus rigoureux. On fait luire à tes yeux la lance éblouissante, on approche de ta gorge la pointe de la baïonnette. Les mousquets sont dirigés contre ta poitrine par des mains qui ne craindront pas d'achever leur crime. Tu les défies de consommer leur forfait, en t'écriant: «Feu!» Mais ceux sur qui la pitié n'a rien pu sont capables encore d'admiration; un reste de leur ancien respect a survécu à la loi du devoir qu'ils ont brisée. Ils ne veulent point tremper leurs armes dans le sang, mais t'abandonnent à la miséricorde des flots!

V

«Lancez la chaloupe!» s'écrie alors leur chef; et qui osera répondre «Non»à la Révolte dans ce premier moment d'effervescence, dans les saturnales de sa puissance inespérée? La chaloupe est descendue avec toute la promptitude de la haine, et bientôt, ô Bligh! il n'y aura plus entre la mort et toi que sa planche fragile; elle ne contient d'autres provisions que ce qu'il en faut pour promettre ce trépas que leurs mains te refusent; tout juste assez d'eau et de pain pour prolonger pendant quelques jours l'agonie des mourants. Néanmoins, quelques cordages, un peu de toile, du fil à voile, véritables trésors pour l'homme exilé sur les solitudes de l'Océan, sont ajoutés ensuite, à la sollicitation pressante de ceux qui ne voient pour eux d'autre espoir que l'air et la mer ; on y joint encore l'intelligente boussole, cette vassale tremblante du pôle, cette âme de la navigation.

VI

Alors, le chef qui s'est élu lui-même croit devoir amortir la première sensation de son crime, et ranimer le courage de ses compagnons, de peur que la passion ne revienne au port de la raison. « Holà ! la tasse à boire ! » s'écrie-t-il. « De l'eau-de-vie pour les héros ! » arriva-t-il un jour à Burke de s'écrier, voulant sans doute qu'on allât à la gloire épique par un liquide chemin. Nos héros de nouvelle date partagèrent son avis ; la coupe fut vidée avec de grands applaudissements, et ce cri : « Huzza ! En route pour Otaïti », retentit de toutes parts. Quel cri étrange dans la bouche de ces fils de la révolte ! L'île paisible et son sol si doux, les cœurs amis, les banquets sans travail, la politesse prévenante inspirée par la seule nature, les richesses que n'a point amassées l'avarice, l'amour qui ne s'achète pas, tout cela peut-il avoir des charmes pour de farouches enfants des mers, chassés sur leur navire devant tous les vents du ciel ? Est-ce donc au prix du malheur d'autrui qu'ils se préparent à obtenir ce qu'implore vainement la douce Vertu, le repos ? Hélas ! Telle est notre nature ; tous nous tendons au même but par des routes différentes ; nos facultés, notre naissance, notre patrie, notre nom, notre fortune, notre caractère et même notre constitution physique exercent sur notre argile flexible plus d'influence que tout ce qui est en dehors de notre étroite sphère. Et cependant une voix murmure au-dedans de nous, que nous entendons à travers le silence de la cupidité, le tintamarre de la gloire ; quelque croyance qu'on nous enseigne, quelque sol que nous foulions, la conscience de l'homme est l'oracle de Dieu !

VII

La chaloupe est encombrée par le petit nombre de ceux qui sont restés fidèles ; cet équipage attend tristement son chef ; mais il en est qui sont restés à contrecœur sur le tillac de cet orgueilleux navire — moralement naufragé — et qui voient d'un œil de compassion la destinée de leur capitaine ; pendant que d'autres, insultant aux maux qui l'attendent, rient de voir sa voile pygmée et sa barque si fragile et si chargée. Le léger nautile qui dirige sa nacelle, cet enfant de la mer, heureux navigateur de son canot-coquille, cette Mab des ondes, cette fée de l'Océan, a une embarcation moins fragile, et plus de liberté, hélas ! dans ses mouvements. Quand l'ouragan aux ailes de flammes balaie l'abîme, il est en sûreté, il trouve un port au fond des eaux — et survit triomphant aux flottes des rois de la terre, qui font trembler le monde, et que le vent anéantit.

VIII

Quand tout fut prêt sur ce navire qui obéissait à un révolté — un matelot, moins endurci que ses camarades, laissa voir cette vaine pitié qui ne fait qu'irriter le malheur. Son regard chercha celui de l'homme qui fut son chef, et lui exprima un sympathique repentir ; puis il porta une liqueur bienfaisante à sa bouche altérée et brûlante. Mais on l'observa, on le fit retirer, et aucun nuage de commisération ne vint plus obscurcir l'aurore de la révolte. Alors s'avança l'audacieux jeune homme qui récompensait l'affection de son chef en le sacrifiant ; et, montrant la frêle embarcation, il s'écria : « Partez sur-le-champ ! Le délai c'est la mort ! » Et néanmoins en ce moment même il ne put entièrement étouffer ses sentiments. Il suffit d'un mot pour éveiller en lui le remords d'un forfait qui n'était encore consommé qu'à demi ; et l'émotion qu'il dérobait aux regards de ses complices se dévoila à son chef. Quand Bligh, d'un ton sévère, lui demanda ce qu'étaient devenus sa reconnaissance pour l'affection qu'il lui avait témoignée, et l'espoir qu'il avait conçu de voir son nom, célèbre un jour, ajouter un nouveau lustre aux mille gloires de l'Angleterre, ses lèvres convulsives ne purent articuler que ces mots terribles: «C'est cela! c'est cela! Je suis en enfer! en enfer.»Il n'en dit pas davantage; mais, poussant son chef vers la barque, il le confia à cette arche fragile. Ce furent les seules paroles qui tombèrent de ses lèvres; mais que de choses étaient contenues dans ce féroce adieu!

IX

En ce moment, le soleil arctique s'élevait tout entier au-dessus des ondes; tantôt la brise se taisait, tantôt elle murmurait du fond de son antre; comme sur une harpe éolienne, ses ailes fébriles tantôt faisaient résonner les cordes de l'Océan, tantôt les effleuraient à peine. D'une rame lente et désolée l'esquif sacrifié se dirigeait péniblement vers les rocs qu'on voyait de loin poindre comme un nuage au-dessus des flots. Cette chaloupe et ce vaisseau ne doivent plus se revoir! Mais mon but n'est point de raconter leur lamentable histoire, leurs périls constants, leurs rares moments de consolation, leurs jours de dangers et leurs nuits de douleur, leur mâle courage, lors même qu'ils jugeaient leur position sans espoir; la famine poursuivant sourdement son œuvre de destruction, et rendant le squelette d'un fils méconnaissable même à sa mère; les maux qui rendaient leur faible pitance plus insuffisante encore, et faisaient taire jusqu'au cri de la faim; l'inconstance de l'Océan, tantôt menaçant de les engloutir, tantôt les laissant lutter d'une rame paresseuse et avec de lents efforts contre une mer qui ne cédait qu'à regret à la force; l'incessante fièvre de cette soif dévorante qui accueillait comme l'onde d'une source pure la pluie épanchée des nuages sur des membres nus, éprouvait une jouissance au milieu des froides averses d'une nuit orageuse, et tordait la voile humide pour en extraire une goutte qui humectât les ressorts desséchés de la vie; l'ennemi sauvage auquel il fallait se soustraire pour demander à l'Océan un refuge plus hospitalier; ces spectres décharnés, échappés enfin au trépas pour faire le récit véridique des dangers les plus horribles que les annales de l'Océan aient jamais offerts à l'effroi de l'homme et aux larmes de la femme.

X

Nous les abandonnons à leur sort, qui ne resta pas ignoré, ni sans réparation. La vengeance réclame ses droits ; la discipline violée prend hautement en main leur cause, et toutes les marines, outragées dans leur réponse, demandent le châtiment des infracteurs de leurs lois. Suivons dans leur fuite les révoltés, à qui une vengeance lointaine n'inspire aucun effroi. Les voilà qui fendent les vagues, — Ils volent ! Ils volent ! Ils volent ! Leurs yeux une fois encore salueront la baie chérie ; une fois encore ces rivages sans loi vont recevoir les hommes hors la loi qu'ils ont accueillis naguère ; la nature et la divinité de la nature — la femme — les appellent sur des bords où ils n'auront d'accusateurs que leur conscience, où la terre est un héritage commun dont tous jouissent sans querelle, où le pain se cueille comme un fruit, où la possession des champs, des bois, des rivières, n'est contestée à personne. L'âge sans or, celui où nul n'a son sommeil troublé par la pensée de l'or, règne sur ce rivage, ou plutôt y régna, jusqu'au jour où l'Europe en instruisit les habitants mieux qu'elle n'avait fait auparavant, leur donna ses coutumes, améliora les leurs, mais en même temps leur laissa l'héritage de ses vices. Oublions tout cela ! Voyons-les tels qu'ils étaient, bons avec la nature, ou se trompant avec elle, « Huzza ! Vers Otaïti ! » Tel est le cri qui résonne dans l'air pendant que s'avance le majestueux navire. La brise s'élève ; devant son souffle, la voile naguère détendue arrondit ses arceaux ; les flots bouillonnent plus rapides autour de la proue hardie qui les écarte sans effort. Ainsi l'*Argo* fendait l'onde vierge de l'Euxin ; mais ceux qu'il portait tournaient encore les yeux vers la patrie ; ceux qui montent ce navire rebelle ont renié la leur, et la fuient comme le corbeau fuyait l'arche ; et cependant ils se proposent de partager le nid de la colombe, et d'amollir aux feux de l'amour leurs farouches courages.

Chant deuxième

I

Qu'ils étaient doux les chants de Toubonaï au moment où le soleil d'été descendait dans la baie de corail ! «Venez ! disaient les jeunes filles, rendons-nous sous les plus charmants ombrages de l'île ; allons entendre le gazouillement des oiseaux ; le ramier roucoulera dans la profondeur de la forêt comme la voix des dieux de Bolatou ; nous cueillerons les fleurs qui croissent sur les tombeaux, car elles ne fleurissent jamais mieux que là où repose la tête du guerrier ; et nous nous assoirons à l'heure du crépuscule, nous verrons les rayons charmants de la lune se jouer à travers l'arbre toua, et, couchées sous son ombre, le mélancolique murmure de ses rameaux nous fera éprouver une douce tristesse ; ou bien nous gravirons les rochers du rivage, et de là nous regarderons la mer lutter en vain contre le roc gigantesque qui refoule en colonne écumeuse les flots vaincus. »Comme cela est beau à voir ! Comme ils sont heureux ceux qui se dérobent aux fatigues et au tumulte de la vie, pour contempler des scènes où il n'y a de luttes que celles de l'Océan ! Et, lui-même, il connaît l'amour, cet océan d'azur, alors que sous la douce influence de la lune sa crinière hérissée devient lisse et onduleuse.

II

«Oui, nous cueillerons les fleurs du sépulcre, puis nous ferons un banquet aussi délicieux que celui des Esprits dans leurs fortunés bocages ; puis nous nous plongerons et nous jouerons dans les vagues; puis nous nous étendrons sur le gazon, et, humides encore après cet exercice plein de charmes, nous oindrons nos corps d'une huile odorante, nous tresserons les guirlandes cueillies sur les tombeaux, et parerons nos têtes des fleurs nées sur la sépulture des braves. Mais voici venir la nuit; le Moua nous appelle; le bruit des nattes résonne sous nos pas le long du chemin; tout à l'heure les torches de la danse refléteront leurs étincelantes clartés sur la verdure du Marly; et nous aussi nous y serons, et nous aussi nous rappellerons la mémoire de ces jours brillants et heureux, avant que Fiji eût fait résonner la conque des batailles, quand des canots chargés d'ennemis vinrent pour la première fois envahir ce rivage. Hélas! par eux la fleur de l'espèce humaine verse son sang, par eux nos champs se couvrent d'herbes parasites, par eux on ignore ou on oublie le bonheur ravissant d'errer seul avec la lune et l'amour. Eh bien, soit! Ils nous ont appris à manier la massue, à couvrir la plaine d'une pluie de flèches; qu'ils recueillent maintenant les fruits que leur art a semés! Mais, cette nuit, réjouissons-nous, demain nous partons. Donnez le signal de la danse; remplissez la coupe jusqu'au bord! vidons-la jusqu'à la dernière goutte! Demain nous pouvons mourir. Revêtons-nous des tissus de l'été; que le blanc tappa ceigne nos reins; que notre front, comme celui du Printemps, soit couronné d'épaisses guirlandes, et qu'à notre cou brillant suspendus les grains de l'houni; leurs vives couleurs contrasteront avec les brunes poitrines sous lesquelles battent nos cœurs. »

III

« Maintenant la danse est terminée; cependant, reste encore un moment! Demeure! Ne bannis point encore le sourire de la joie. Demain nous partons pour le Moua, mais ce n'est pas cette nuit, — cette nuit est pour le cœur. Enlacez-nous encore des guirlandes après lesquelles nous soupirons doucement, ô jeunes enchanteresses de l'aimable Likou! que vos formes sont ravissantes! comme tous les sens rendent hommage à vos beautés, pleines d'un charme suave, mais intense, comme ces fleurs qui,

du sommet du Maraloco, exhalent leurs parfums sur l'Océan!
Et nous aussi nous verrons Likou; mais, — ô mon cœur! — que
dis-je? Demain nous partons!»

IV

Tels étaient les chants, telle était l'harmonie qui résonnait sur
ce rivage lorsque les vents n'y avaient pas encore poussé les fils
de l'Europe. Ces hommes avaient leurs vices, il est vrai, — mais
ceux-là seulement qui croissent avec la nature; ils n'avaient
que les vices de la barbarie: nous avons, nous, tout ce que la
civilisation a de sordide, mêlé à tout ce qu'il y a de sauvage dans
l'homme déchu. Qui n'a pas vu le règne de l'hypocrisie, les prières
d'Abel unies aux actions de Caïn? Il suffit d'ouvrir sa fenêtre pour
voir l'ancien monde plus dégradé que le nouveau, qui lui-même
ne mérite plus ce nom de nouveau, excepté dans ces régions
où la Colombie voit grandir deux géants jumeaux, enfants de la
Liberté, et où le Chimborazo promène son regard de Titan sur
l'air, la terre et les flots, sans apercevoir un seul esclave.

V

Tels étaient les chants d'une époque de tradition, où la gloire
des morts revit dans des chants, ne laissant après elle d'autre
trace que des sons dont le charme est à demi divin; époque
qui n'offre point d'annales à l'œil du sceptique, et où la jeune
Histoire est tout entière confiée à l'Harmonie, comme Achille
enfant, tenant en main la lyre du centaure, apprenait à sur-
passer son père. Car les simples stances d'une ballade antique
et populaire résonnant du haut des rocs, se mêlant au bruit
des vagues ou au murmure du ruisseau, ou répétées par l'écho
des montagnes, sont plus puissantes sur l'oreille et le cœur
que tous les monuments érigés par les favoris de la victoire;
elles plaisent, tandis que les hiéroglyphes ne sont qu'un sujet de
travaux pour le sage et de conjectures pour l'érudit; elles attirent,

pendant que les volumes de l'histoire ne sont qu'une fatigue; elles sont le premier, le plus frais rejeton qui croisse sur le sol du sentiment. Tel était ce chant rude et sauvage, — le chant est cher au Sauvage. De pareils chants inspiraient la solitude de ces hommes du Nord qui vinrent et conquirent; ils existent partout où des ennemis ne viennent pas détruire ou civiliser: ils touchent le cœur; que saurait faire de plus notre poésie savante?

VI

Et maintenant, les suaves accords de cette mélodie sans art venaient interrompre le voluptueux silence de l'atmosphère, la délicieuse sieste d'un jour d'été, l'après-midi des tropiques dans l'île de Toubonaï; à cette heure, toutes les fleurs étaient épanouies, l'air était embaumé; un premier souffle commençait à agiter le palmier; la brise, silencieuse encore, à soulever la vague et à rafraîchir la grotte altérée où celle qui chantait était assise avec le jeune étranger. C'est à lui qu'elle devait de connaître les désolantes joies de l'amour, trop puissant sur tous les cœurs, mais principalement sur ceux qui ignorent qu'on puisse cesser d'aimer, sur ceux qui, consumés par leur nouvelle flamme, se délectent comme des martyrs sur leur bûcher funéraire, et, dans l'extase qui les transporte, ne trouvent point dans la vie de joie comparable à celle de mourir; et ils meurent en effet, car la vie terrestre n'a rien qui approche, même par la pensée, de cette explosion de la nature: et tous nos rêves de bonheur dans une vie future se résument en un torrent d'un éternel amour.

VII

Là était assise l'aimable Sauvage du désert, déjà femme par ses formes quoique enfant par les années, selon l'âge assigné à l'enfance dans nos froids climats, où le crime est la seule chose qui croisse vite; enfant d'un monde enfant, dans sa pureté native, belle, aimante, précoce, noire comme la nuit, mais la nuit avec toutes ses étoiles, ou comme une grotte brillant de tous ses cristaux ; des yeux qui étaient un langage et un charme, des formes semblables à celles d'Aphrodite portée dans sa conque sur l'écume des flots, entourée de son cortège d'amours ; voluptueuse comme la première approche du sommeil, et néanmoins pleine de vie, — car par moments sur ses joues basanées apparaissait une éloquente rougeur ; son sang, fils d'un chaud soleil, colorait son sein, et donnait à sa peau, d'un brun clair, une teinte transparente pareille à ce rouge vif dont brille le corail vu à travers les vagues sombres, et qui attire le plongeur vers sa grotte pourprée. Telle était cette fille des mers du Sud ; douée de toute l'énergie de leurs vagues, elle portait l'esquif de la félicité des autres, et n'éprouvait de douleur que dans la diminution de leur joie ; son âme ardente et chaleureuse, mais fidèle, ne connaissait point de bonheur plus doux que celui qu'elle donnait ; ses espérances ne s'appuyaient en rien sur l'expérience, cette froide pierre de touche dont l'épreuve décolore tous les objets ; elle ne redoutait aucun mal, parce qu'elle n'en connaissait aucun, ou ceux qu'elle connaissait étaient bientôt, — trop tôt oubliés : ses sourires et ses larmes avaient passé comme passe un vent léger sur la surface d'un lac dont il ride le miroir sans le détruire ; les sources cachées dans ses profondeurs, les ruisseaux des collines, alimentent et renouvellent ses ondes si calmes, jusqu'au jour où un tremblement de terre renverse la grotte de la naïade, bouleverse la source, refoule les vagues, et change les eaux vivantes en une masse inerte, un désert amphibie, un humide marécage ! Est-elle donc réservée, la jeune fille, à un semblable destin ? Les vicissitudes éternelles ne font qu'atteindre l'humanité avec plus de vitesse, et ceux qui tombent ne font que subir le sort que les mondes subiront un jour ; mais s'ils ont été justes, leur âme immortelle planera sur les débris des mondes expirés.

VIII

Et lui, quel est-il ? C'est un enfant du Nord aux yeux bleus, né dans ces îles plus connues, mais presque aussi sauvages ; c'est le blond fils des Hébrides, où mugit le Pentland avec sa mer tourbillonnante ; bercé au souffle impétueux des vents, enfant de la tempête par le corps et par l'âme, ses jeunes yeux s'étaient ouverts sur l'écume de l'Océan ; depuis lors il avait regardé l'abîme comme sa demeure, le géant confident de sa pensée rêveuse, le compagnon de ses rocheuses solitudes, le seul mentor de sa jeunesse, partout où voguait sa barque ; jeune homme insouciant, se laissant aller au vent et à la vague, s'abandonnant aux décisions du hasard, nourri des légendes et des ballades de son pays natal ; prompt à espérer, mais non moins ferme à souffrir, ayant éprouvé tous les sentiments, sauf le désespoir. Sous le ciel de l'Arabie, il eût été le nomade le plus hardi qu'on eût vu fouler les sables brûlants, et eût bravé la soif avec la persévérance d'Ismaël naviguant sur son vaisseau du désert ; il eût été sur les rives du Chili un fier Cacique, sur les montagnes de l'Hellade un Grec rebelle ; né sous la tente d'un Tartare, il eût peut-être fait un mauvais roi ! car la même âme qui se fraie une route au pouvoir, dès qu'elle y est arrivée ne trouve plus d'aliment qu'elle-même, et il ne lui reste plus qu'à marcher en sens inverse, et à plonger dans la douleur, en quête de plaisirs : le même génie qui créa un Néron, la honte de Rome, avait, dans un rang plus humble, et aidé par la discipline du cœur, formé l'éclatant contraste de son glorieux homonyme ; mais accordons-lui ses vices, admettons qu'il ne les tenait que de lui : combien, sans un trône, leur théâtre eût été rétréci !

IX

Tu souris ; à ceux qui regardent toute ·chose avec des yeux éblouis, ces comparaisons semblent ambitieuses, rattachées au nom inconnu d'un homme qui n'a rien de commun avec la gloire ou Rome, avec le Chili, l'Hellade ou l'Arabie ; — tu souris ; — à la bonne heure ! cela vaut mieux que de gémir ; et néanmoins il eût pu être tout cela ; c'était un de ces hommes, un de ces esprits qui planent au-dessus des autres, qu'on voit toujours à l'avant-garde ; il eût été un héros patriote ou un chef despotique ; il eût fait la gloire ou le deuil d'une nation, né qu'il était sous des auspices qui font de nous plus ou moins que nous n'aimons à l'envisager. Mais tout cela, ce sont des visions ; ici qu'était-il en réalité ? Un jeune homme dans sa fleur, un marin révolté. Torquil aux blonds cheveux, libre comme l'écume de l'Océan, l'époux de la fiancée de Toubonaï.

X

Assis auprès de Neuha, il contemplait les flots ; Neuha, la fleur des filles de l'île, d'une haute naissance (ici un expert en blason va sourire, et demandera à voir l'écusson de ces îles ignorées), car elle descendait d'une longue race d'hommes vaillants et libres, chevaliers nus d'une chevalerie sauvage, dont les tombes de gazon s'élèvent au bord de la mer ; et la tienne, Achille, — je l'ai vue, — ne nous en offre pas davantage. Un jour, arrivèrent les étrangers, porteurs du tonnerre, dans de vastes canots hérissés de foudres enflammés ; de leur sein s'élevaient des arbres gigantesques qui dépassent le palmier en hauteur, et qui semblaient plonger leurs racines au sein de l'Océan calmé ; mais dès que les vents s'éveillaient, on les voyait déployer des ailes larges comme celles que le nuage étend à l'horizon ; ils commandaient aux flots, et devant ces villes de la mer, les vagues elles-mêmes paraissaient moins libres. Neuha, s'armant de la rame légère, darda son agile nacelle à travers les ondes, comme le renne à travers la neige ; effleurant la blanche tête des brisants, légère comme une néréide dans son traîneau marin, elle vint contempler et admirer la gigantesque carène soulevant et abaissant avec la vague sa masse pesante. On jeta l'ancre ; le navire resta immobile auprès du rivage, comme un énorme lion endormi au soleil, pendant qu'autour de lui voltigeaient d'innombrables pirogues, semblables à un essaim d'abeilles bourdonnant autour de la crinière du roi des forêts.

XI

L'homme blanc débarqué ! — Qu'est-il besoin de dire le reste ? Le Nouveau-Monde tendit à l'ancien sa main basanée ; ils étaient l'un à l'autre un spectacle merveilleux, et le lien de la curiosité ne tarda pas à se changer en une sympathie plus étroite sur cette terre du soleil. Affectueux fut l'accueil des pères; plus tendre encore fut l'accueil de leurs filles, qui sentirent s'allumer dans leurs cœurs un sentiment plus doux. Leurs union se resserra: les fils de la tempête trouvèrent la beauté unie à plus d'un visage basané; celles-ci à leur tour admirèrent l'éclat d'un teint plus clair, qui paraissait si blanc dans un pays où la neige est inconnue. La chasse, la course, la liberté d'errer librement; une île où chaque cabane offrait un foyer domestique; le filet tendu dans la mer; le canot agile lancé sur cet archipel au sein d'azur, semé d'îles brillantes; le frais sommeil acheté par des travaux qui étaient des jeux; le palmier, la plus haute des dryades, portant dans son sein Bacchus enfant, pendant que la crête qui ombrage le cep de vigne qu'il recèle rivalise de hauteur avec l'aire de l'aigle; le banquet de Cava, l'igname; la noix du cocotier, qui renferme à la fois la coupe, le lait et le fruit; l'arbre à pain, qui, sans que la charrue ait sillonné la plaine, livre à l'homme ses moissons, et, dans des bosquets que l'or n'a point achetés, prépare sans le secours d'une fournaise ses pains de pur froment; marché gratuit où chaque convive vient puiser, et où l'on n'a jamais à redouter la disette; — tout cela, joint aux délices des mers et des bois, aux plaisirs gais et aux douces joies de ces riantes solitudes, avait apprivoisé la rudesse de ces hommes errants, les avait fait sympathiser avec ceux qui, moins sages peut-être, étaient du moins plus heureux; tout cela avait fait ce que la discipline n'avait pu faire, et civilisé les fils de la civilisation.

XII

De tous ces couples fortunés, Neuha et Torquil n'étaient pas le moins beau, tous deux enfants des îles, quoiqu'une grande distance séparât leurs patries; tous deux nés sous l'étoile des mers; tous deux élevés au milieu de ces spectacles d'une nature sauvage, dont le souvenir nous est toujours cher: en dépit de tout ce qui peut s'interposer entre nous et les sympathies de notre enfance, nous revenons toujours aux objets qui ont frappé nos premiers regards. Celui dont la vue se reposa d'abord sur les cimes bleues des montagnes, saluera avec amour le moindre pic azuré qu'il verra poindre à l'horizon, retrouvera dans chaque rocher le visage familier d'un ami, et pressera la montagne dans les bras de son imagination. J'ai longtemps erré dans des pays qui ne sont pas le mien ; j'ai adoré les Alpes, aimé les Apennins, révéré le Parnasse, et contemplé l'Ida et l'Olympe dominant l'Océan de leurs cimes escarpées ; mais ce n'étaient ni les antiques souvenirs qu'ils rappellent, ni leurs imposantes beautés qui me tenaient plongé dans un muet ravissement ; les transports de l'enfant avaient survécu à l'enfance ; et c'était du haut de Loch-na-gar, autant que l'Ida, que je contemplais Troie. Je mêlais au mont phrygien des souvenirs celtiques, et les torrents de l'Écosse à la source limide de Castalie. Pardonne-moi, ombre universelle d'Homère ! Pardonne-moi, Phébus, cet égarement de mon imagination. Le Nord et la nature m'ont appris à adorer vos scènes sublimes par le souvenir de celles que j'avais aimées autrefois.

XIII

L'amour, qui rend toute chose sympathique et belle ; la jeunesse, qui fait de l'air un arc-en-ciel ; les périls passés, qui font mieux goûter à l'homme ces moments d'intervalle où il cesse de détruire ; la beauté mutuelle, qui communique une commotion soudaine aux cœurs les plus farouches comme la flamme électrique à l'acier : voilà ce qui absorba dans un sentiment commun ces deux âmes, le jeune homme et la jeune fille, celui qui était à demi sauvage et celle qui l'était tout à fait. Lui, la voix tonnante des combats cessa de vibrer dans sa mémoire et d'enivrer son cœur de sombres délices ; il cessa d'éprouver dans son repos cette impatience inquiète de l'aigle dans son aire quand le bec aigu et le regard perçant du monarque ailé cherchent une proie dans l'espace des cieux ; son cœur amolli était dans cette situation voluptueuse, tout à la fois élyséenne et efféminée, qui ne confère point de lauriers à l'urne du héros ; — ses palmes se flétrissent quand toute autre passion que celle du sang le consume ;

et néanmoins, quand ses cendres reposent dans leur étroite demeure, le myrte ne donne-t-il pas une ombre aussi douce que le laurier ? Si César n'avait jamais connu que les baisers de Cléopâtre, Rome eût été libre, il n'eût point été le maître du monde. Et qu'ont fait pour la terre les actions et la renommée de César ? Nous en ressentons l'influence avec honte ; la sanction sanglante de sa gloire colore la rouille des chaînes que les tyrans nous imposent. En vain la gloire, la nature, la raison, la liberté, commandent à des millions d'hommes de se lever et de faire ce que Brutus seul a fait, — de chasser du rameau où ils ont été si longtemps perchés ces oiseaux moqueurs qui veulent imiter la voix du despotisme. Nous continuons encore à tomber sous la serre de ces chats-huants, de ces mangeurs de souris ; nous prenons pour faucons ces ignobles oies, quand nous voyons à leurs terreurs qu'il suffirait d'un mot de la Liberté pour dissiper ces épouvantails.

XIV

Mais dans l'amoureux oubli de la vie, Neuha, l'insulaire de la mer du Sud, était exclusivement épouse ; point de préoccupation mondaine venant la distraire de son amour ; point de société tournant en ridicule sa nouvelle et passagère flamme ; point de fats babillards exprimant tout haut leur admiration, ou s'efforçant, par d'adultères paroles, de ternir sa vertu, et sa gloire, et son bonheur. Laissant sa foi et ses sentiments à nu comme sa beauté, elle ressemblait à l'arc-en-ciel au milieu de l'orage, l'arc-en-ciel dont les couleurs, modifiées avec une variété brillante, se déploient toujours plus belles dans le firmament, et qui, quelles que soient les dimensions de son arc, la mobilité de ses teintes, est toujours le messager d'amour dont la présence écarte les nuages.

XV

Dans cette grotte du rivage battu par la vague, ils avaient passé l'heure du midi des tropiques. Les heures ne leur semblaient pas longues : ils ne les comptaient pas ; ils n'étaient pas informés de leur fuite par le tintement funèbre de l'horloge qui nous administre notre pitance journalière d'existence, et dont la voix d'airain nous avertit avec un rire insultant. Que leur importait l'avenir ou le passé ? Le présent les retenait sous son joug despotique ; ils avaient pour sablier le sable de la mer, et la marée voyait glisser leurs moments comme ses lames paisibles ; leur horloge, c'était le soleil dans sa tour immense ; qu'avaient-ils besoin de noter le cours du temps, eux dont les jours passaient comme des heures ? Le rossignol, leur seule cloche du soir, chantait doucement à la rose les adieux du jour. Cependant le vaste soleil se coucha à l'horizon, non à pas lents comme dans les climats du Nord, où il s'affaisse mollement sur les ondes, mais d'un seul bond, dans toute son énergie et tout son éclat, comme s'il eût voulu pour toujours quitter le monde et priver sans retour la terre de ses feux ; il plongea dans les flots son front radieux, comme un héros qui s'élance impétueusement dans la tombe. Alors ils se levèrent, promenèrent d'abord leurs regards sur le firmament ; puis chacun d'eux regarda les yeux de l'autre pour y chercher la lumière, s'émerveillant qu'un soleil d'été fût si court, et se demandant si en effet le jour était fini.

XVI

Et que cela ne semble point étrange ; l'enthousiaste religieux ne vit pas sur la terre ; mais, dans son ravissement, autour de lui passent inaperçus les jours et les mondes ; son âme est au ciel avant que la tombe ait recouvert sa cendre. L'amour a-t-il moins de puissance ? Non. Lui aussi il marche les yeux glorieusement levés vers Dieu, ou s'attache à tout ce que nous connaissons du ciel ici-bas, à cette autre moitié meilleure de nous-mêmes, dont la joie ou la douleur est plus que nôtre ; flamme qui absorbe tout, qui, allumée par une autre flamme, se confond avec elle pour former une seule et même lumière ; bûcher funèbre et pur, où, comme des bramines, des cœurs aimants prennent place et sourient. Combien de fois, il nous arrive d'oublier le temps, lorsque, dans la solitude, nous admirons le trône universel de la nature, ses forêts, ses déserts, ses eaux, qui forment le langage sublime par lequel elle répond à notre intelligence! Les étoiles et les montagnes ne sont-elles pas douées de vie? Un souffle n'anime-t-il pas les vagues? Les cavernes humides, n'y a-t-il pas du sentiment dans leurs larmes silencieuses? Non, non: tous ces objets nous appellent à nous identifier avec eux, dissolvent avant son heure notre enveloppe d'argile, et immergent notre âme dans l'Océan du grand Tout. Dépouillons cette identité chérie et mensongère. Qui songe à soi en contemplant le ciel? et même en reportant plus bas ses regards, quel homme, aux jours de sa jeunesse, avant que le temps fût venu instruire le cœur, quel homme pensa jamais à la bassesse de ses semblables ou à la sienne? Il a toute la nature pour empire, et pour trône l'amour.

XVII

Neuha et Torquil se levèrent; l'heure du crépuscule arriva, mélancolique et douce, à leur berceau de rochers, dont les cristaux, s'allumant par degrés, reflétèrent les naissantes clartés des étoiles. Le jeune couple, partageant le calme de la nature, prit lentement le chemin de sa cabane, construite sous un palmier; tantôt silencieux, tantôt souriant, comme le tableau qui l'entoure, charmant — comme le Génie de l'Amour — quand son front est serein! L'Océan faisait à peine entendre un bruit plus fort que le murmure du Coquillage, quand ce jeune enfant des mers, éloigné de l'onde maternelle, crie et ne veut pas s'endormir, exhalant en vain sa petite plainte, et demandant le sein gonflé de la Vague sa nourrice. Les bois, plus sombres, inclinaient leurs rameaux comme pour goûter le repos; l'oiseau des tropiques dirigeait son vol circulaire vers les rochers où est bâti son nid, et le bleu firmament se déployait devant eux, comme un lac de paix offert à la piété pour étancher sa soif.

XVIII

Mais quelle est cette voix qui résonne à travers les palmiers et les platanes ? Ce n'est pas celle qu'un amant désire entendre à une telle heure et au milieu de ce silence des airs ; ce n'est pas la brise du soir, soupirant sur la colline, faisant résonner les cordes de la nature, les rochers et les bois, ces lyres d'harmonie, les meilleures et les plus anciennes de toutes, avec l'écho pour former le chœur ; ce n'est pas un cri de guerre venant dissiper le charme de ces lieux ; ce n'est pas non plus le monologue du hibou, cet ermite exhalant son âme solitaire, cet anachorète ailé, aux yeux grands et obscurcis, qui fait entendre à la Nuit son chant funèbre : c'est un long sifflement naval, le plus perçant qui soit jamais sorti du gosier d'un oiseau de mer. À ce bruit succède le silence d'un moment, puis une rauque exclamation : « Holà ! Torquil ! Mon garçon ! Comment va ? Oh ! Camarade, oh ! » — « Qui m'appelle ? » s'écria Torquil en regardant du côté d'où venait la voix. — « Me voici ! » fut la réponse brève qu'il reçut.

XIX

Mais en ce moment, un parfum parti de la même bouche se répandit dans l'air aromatisé du Midi et servit de messager à l'interlocuteur ; ce n'était pas celui qui s'élève d'un parterre de violettes, mais celui qui, après avoir passé par une pipe fragile, plane comme un nuage sur le grog et sur l'ale ; cette pipe avait déjà exhalé ses doux parfums sous l'une et l'autre zone ; par tous les vents, sur toutes les mers, de Portsmouth jusqu'au pôle, elle avait envoyé sa fumée, avait opposé sa vapeur aux foudres de la tempête, et ni la fureur des vagues, ni le souffle inconstant d'Éole, ni les mille changements de l'atmosphère, n'avaient pu interrompre ses tranquilles fonctions. Et qui était le porteur de cette pipe ? — Je puis me tromper, mais, selon moi, ce devait être un matelot ou un philosophe. Tabac sublime ! qui du couchant à l'aurore charmes les fatigues du marin ou le repos du Turc, qui sur l'ottomane du musulman partages ses heures, et rivalises avec l'opium et ses femmes ; toi qui règnes dans toute ta splendeur à Stamboul, et qui, bien que plus que modeste, n'en es pas moins chéri dans Wapping ou dans le Strand ; tabac divin dans les oukas, glorieux dans une pipe garnie d'ambre d'un jaune doré, comme d'autres beautés qui nous charment, c'est en grande toilette surtout que tes attraits vainqueurs nous éblouissent ; mais tes adorateurs véritables admirent plus encore tes appas dans leur nudité ! — Qu'on me donne un cigare !

XX

À travers les ombres naissantes de la forêt, une figure humaine apparut tout à coup dans ce lieu solitaire ; c'était un matelot vêtu d'une manière burlesque, une sauvage mascarade, comme celle qui semble sortir de la mer quand les navires passent la ligne, et que les matelots, dans le char prétendu de Neptune, célèbrent sur le tillac leurs grossières saturnales. On dirait que le dieu se plaît encore à voir son nom invoqué de nouveau, bien que d'une manière dérisoire, par ses véritables enfants, dans des jeux grotesques que n'ont jamais connus ses Cyclades natales. Le dieu des mers, du sein de son empire, se réjouit de voir revivre encore quelques faibles traces de son ancien culte. La jaquette de notre matelot, bien qu'en guenilles ; la pipe inséparable, qui pour s'allumer n'avait jamais été en retard ; son air décidé, sa démarche un peu balancée imitant le roulis de son cher navire, tout en lui annonçait son ancienne profession ; d'autre part, une sorte de mouchoir était noué autour de sa tête assez négligemment et sans beaucoup d'art ; et pour lui tenir lieu de culottes (trop tôt déchirées, hélas ! car il n'est pas de bois si doux qui n'aient leurs épines), un singulier tissu, une sorte de natte légère. Du reste, ses pieds et son cou nus, son visage brûlé du soleil, tenaient également du matelot et du Sauvage. Quant à ses armes, elles venaient exclusivement de cette Europe à qui deux mondes rendent grâce de leur civilisation ; le mousquet pendait à ses larges et brunes épaules, un peu voûtées par les dimensions incommodes de son logement nautique; en dessous était suspendu un coutelas sans son fourreau qui avait été usé ou perdu; à sa ceinture était fixée une paire de pistolets, couple matrimonial — (cette métaphore n'est pas une plaisanterie; si l'un ne prenait pas feu, en revanche, l'autre partait avant le commandement); une baïonnette, un peu moins dégagée de rouille que lorsqu'elle était sortie des caisses de l'armurier, complétait son accoutrement et l'équipage hétéroclite dans lequel la nuit le voyait paraître.

XXI

«Comment va, Ben Bunting?» cria Torquil à notre nouvelle connaissance, lorsqu'il vit sa personne à découvert; «Quoi de neuf?» — «Hé! Hé! répondit Ben, rien de neuf, mais des nouvelles à foison; une voile inconnue est en vue.» — «Une voile! Comment cela? As-tu pu distinguer ce que c'était? Cela ne se peut pas: je n'ai pas aperçu sur la mer un seul chiffon de toile.» — «C'est possible, de la haie où tu étais, dit Ben, mais moi, de la hauteur où j'étais de quart, je l'ai vue, et elle venait à plein vent.» — «Quand le soleil s'est couché où était-elle? avait-elle jeté l'ancre?» — «Non, elle a continué à porter sur nous jusqu'à ce que le vent ait tombé.» — «Son pavillon?» — «Je n'avais pas de lunette; mais, de son avant à son arrière, morbleu! Ce navire m'a paru ne nous apporter rien de bon.» — «Est-il armé?» — «Je le crois; il est envoyé sans doute à notre recherche; il est temps, je pense, de virer de bord.»— «Virer de bord! qui que ce soit qui vienne nous donner la chasse, nous ne fuirons pas! Ce serait agir en lâches; nous mourrons dans nos quartiers en vrais braves.» — «Bien! bien! Cela est égal à Ben.» — «Christian sait-il cela?» — «Oui, il a rassemblé tout notre monde. On s'occupe à fourbir les armes; nous avons aussi quelques pièces de canon dont nous avons fait l'essai. On te demande.» — «C'est trop juste; et lors même qu'il en serait autrement, je ne suis pas homme à laisser mes camarades dans l'embarras. Ma Neuha! pourquoi faut-il que la destinée qui me poursuit enveloppe dans mon malheur une compagne si charmante et si fidèle! Mais, quel que soit le sort qui nous attende, ô Neuha! n'ébranle pas en ce moment mon courage; nous n'avons pas même le temps de verser une larme; quoi qu'il arrive, je suis à toi!» — «Fort bien, dit Ben, cela est bon pour des soldats de marine.»

Chant troisième

I

Le combat avait cessé ; on ne voyait plus resplendir à travers les ténèbres ce vêtement de lumière qui entoure les canons au moment où ils donnent des ailes à la mort ; les vapeurs sulfureuses s'élevant dans l'air avaient quitté la terre et ne souillaient plus que l'azur du ciel ; le mugissement sonore qui accompagnait naguère chaque décharge ne se faisait plus entendre ; l'écho ne répétait plus les lugubres détonations, et avait repris son silence mélancolique ; la lutte était terminée ; les vaincus avaient subi leur sort : les révoltés étaient écrasés, dispersés ou pris, et ceux qui avaient survécu portaient envie aux morts. Bien peu avaient pu s'échapper, et ceux-là étaient poursuivis sur toute la surface de l'île qu'ils avaient préférée à leur rive natale ; il semblait qu'il n'y eût plus d'asile pour eux sur la terre depuis qu'ils avaient renié le pays qui les avait vus naître ; traqués comme des animaux féroces, ils demandaient une retraite au désert, comme un enfant se réfugie au sein de sa mère ; mais c'est en vain que les loups et les lions s'enfuient dans leur tanière, et c'est plus inutilement encore que l'homme cherche à se dérober à la poursuite de l'homme.

II

Il est un roc qui projette au loin sa base sur l'Océan, alors même que sa fureur est plus grande : en vain, comme un guerrier qui monte le premier à l'assaut, la vague escalade sa cime gigantesque ; elle en est soudain précipitée, et retombe sur la multitude onduleuse qui combat sous la bannière des vents, mais qui maintenant est calme. C'est sous cet abri que se sont retirés les faibles débris de la troupe vaincue ; épuisés par la perte de leur sang et dévorés par la soif, ils ont toujours leurs armes à la main et conservent encore quelque chose de l'orgueil de leur résolution première, comme des hommes que leur sang-froid n'a pas abandonnés, et qui luttent contre leur sort au lieu de s'en étonner. Leur destin actuel, ils l'avaient prévu, et s'y étaient exposés en connaissance de cause ; néanmoins un espoir leur était resté : ils s'étaient dit que, sans être pardonnés, ils ne seraient point recherchés, qu'on les oublierait peut-être ou qu'on ne pourrait les découvrir dans leur retraite lointaine, point imperceptible sur ces mers immenses ; tout cela leur avait en partie fait perdre de vue la vengeance des lois de leur pays, cette vengeance dont maintenant ils voyaient et ressentaient les effets. Leur île verdoyante, ce paradis gagné par le crime, ne pouvait plus abriter leurs vertus ou leurs vices : ce qu'ils pouvaient avoir de bons sentiments était refoulé au fond de leurs cœurs pour ne plus laisser surgir à leurs regards que la conscience de leurs fautes. Proscrits jusque sur le sol de leur seconde patrie, c'en était fait d'eux ; en vain le monde était devant eux, toutes les issues étaient fermées. Leurs nouveaux alliés avaient combattu et versé leur sang pour leur querelle ; mais que pouvaient la lance, la massue et le bras d'Hercule contre le sulfureux sortilège, la magie de ce tonnerre qui immole le guerrier avant qu'il ait pu faire usage de sa force, et, semblable à un fléau pestilentiel, est en même temps le tombeau de la bravoure et du brave ? Eux-mêmes, malgré l'inégalité de la lutte, avaient fait tout ce que le courage peut oser et faire contre le nombre ; mais, quoique le désir de mourir libre soit inné en nous, la Grèce elle-même n'a pu se vanter que d'un seul combat des Thermopyles, jusqu'à ce jour où, transformant en glaive le métal de ses chaînes, elle meurt en combattant pour ressusciter glorieuse !

III

À l'abri de ce rocher s'était réfugié le petit nombre des vaincus ; pareils aux derniers restes d'un troupeau de daims, leurs yeux étaient pleins d'une agitation fébrile, leur visage abattu, et pourtant on voyait encore sur leur bois l'empreinte du sang du chasseur. Un petit ruisseau descendait en cascades de la cime du rocher, et se frayait, comme il pouvait, un chemin vers la mer ; son cristal bondissant se jouait aux rayons du soleil, et ses flots doux jaillissaient de roc en roc en gerbes écumeuses ; dans le voisinage immédiat de l'immense et sauvage Océan, son onde, pure et fraîche comme l'innocence, mais moins exposée qu'elle, faisait reluire au-dessus de l'abîme son torrent argenté, comme on voit briller du sommet d'un roc escarpé l'œil du chamois timide, pendant que bien loin au-dessous de lui les Alpes de l'Océan soulevaient et abaissaient leur vaste et sombre azur. Ils se précipitèrent vers cette jeune source ; la soif de la colère et la soif de la nature absorbèrent tout autre sentiment. — Ils burent comme des hommes qui buvaient pour la dernière fois, et se débarrassèrent de leurs armes pour se délecter dans cette bien-faisante rosée, abreuvèrent leurs gosiers desséchés, et lavèrent le sang de leurs blessures, qui peut-être ne devaient avoir que des chaînes pour bandage. Alors, une fois leur soif étanchée, ils jetèrent autour d'eux de douloureux regards, paraissant s'étonner qu'un si grand nombre encore eût échappé aux fers et à la mort ; — mais tous restèrent silencieux ; chacun porta les yeux sur son voisin, comme pour lui demander des paroles que ses lèvres lui refusaient, comme si leur voix eût expiré en même temps que leur cause.

IV

Sombre, et un peu à l'écart, se tenait Christian, les bras croisés sur la poitrine. La teinte colorée, l'air d'insouciance et d'intrépidité répandu naguère sur son visage, avait fait place à une couleur plombée et livide ; ses cheveux d'un brun clair, qui naguère ombrageaient sa tête en boucles gracieuses, maintenant se hérissaient sur son front comme des vipères irritées. Immobile comme une statue, comprimant ses lèvres comme pour refouler jusqu'à son haleine au fond de sa poitrine, il était appuyé contre le rocher dans une attitude muette et menaçante, et, sauf un léger mouvement de son pied, dont le talon, par intervalle, creusait le sable, on eût dit qu'il était changé en marbre. À quelques pas de là, Torquil appuyait sa tête sur une saillie du roc; il ne parlait pas, mais son sang coulait, — non qu'il fût blessé à mort, — sa blessure la plus dangereuse était intérieure: son front était pâle; ses yeux bleus à demi fermés et les gouttes de sang qui souillaient ses blonds cheveux témoignaient que son affaiblissement ne provenait pas du désespoir. Auprès de lui était un autre individu ayant les manières d'un ours, mais l'affection d'un frère: c'était Ben Bunting, qui commença par laver et panser comme il put la blessure de son camarade, — puis alluma tranquillement sa pipe, ce trophée qui avait survécu à cent combats, cet astre ami qui tant de fois avait charmé ses nuits. Le quatrième et dernier personnage de ce groupe abandonné se promenait de long en large, — puis il s'arrêtait, se baissait pour ramasser un caillou, — puis le laissait retomber; — puis doublait le pas, — puis s'arrêtait de nouveau brusquement; — puis jetait les yeux sur ses compagnons, se mettait à siffler un air qu'une pause venait bientôt interrompre; — puis il reprenait ses premiers mouvements avec un mélange d'insouciance et de trouble. Voilà une longue description pour exprimer ce qui occupa à peine un intervalle de cinq minutes; mais aussi quelles minutes! Des moments comme ceux-là sont autant d'éternités dans la vie de l'homme.

V

Enfin Jack Skyscrape, homme ayant les propriétés élastiques du mercure et la légèreté d'un éventail, plus brave que ferme, plus disposé à affronter la mort qu'à lutter contre le désespoir, s'écria: «Goddamn!» syllabes énergiques qui forment le fond de l'éloquence anglaise, comme «l'Allah!» des Turcs, ou comme autrefois le «proh Jupiter!» plus païen encore des Romains, servait d'expression à un premier mouvement, et d'écho à l'embarras. Jack était embarrassé, — jamais héros ne le fut davantage; ne sachant que dire, il jura, et ne jura pas en vain; ce son familier à son oreille réveilla Ben Bunting absorbé par sa pipe; il l'ôta de sa bouche, prit un air capable, mais se contenta de terminer le jurement commencé par son camarade, péroraison qu'il me semble fort inutile de répéter.

VI

Mais Christian, âme plus fortement trempée, ressemblait dans son immobilité morne à un volcan éteint; silencieux, triste, farouche, l'empreinte encore fumante de la colère était sur sa face voilée d'un nuage, quand tout à coup, levant ses yeux sombres, il regarda Torquil penché, faible et languissant à quelques pas de lui. «Voilà donc où nous en sommes réduits! s'écria-t-il. Malheureux jeune homme, toi aussi, ma démence a causé ta perte!» Il dit et s'avança vers le jeune Torquil, encore souillé du sang qu'il venait de répandre, lui prit la main avec émotion, mais n'osa pas la presser, et recula comme effrayé de ses propres caresses, s'informa de son état, et lorsqu'il apprit que sa blessure était plus légère qu'il ne l'avait pensé ou craint, un éclair de satisfaction brilla sur son front, autant du moins que pouvait le permettre un tel moment. «Oui, s'écria-t-il, nous sommes pris dans les rets du chasseur, mais l'ennemi ne trouvera pas dans nous une proie lâche ou commune; sa victoire lui a coûté cher, elle lui coûtera cher encore; — moi, il faut que je succombe; mais vous, mes amis, avez-vous la force de fuir? Ce serait pour moi une consolation de vous voir survivre; nous sommes en trop petit nombre pour combattre. Oh! que n'avons-nous un seul canot, ne fût-ce qu'une coquille, pour vous transporter d'ici en un lieu où habite l'Espérance! Quant à moi, j'ai le destin que j'ai moi-même cherché: celui d'être, mort ou vivant, toujours libre et sans peur.»

VII

Il parlait encore, lorsque du promontoire dont la cime haute et blanche se projetait sur les flots, on vit poindre sur l'Océan une tache noire ; elle paraissait voler comme l'ombre d'une mouette qui prend l'essor ; elle approcha, — et voilà tout à coup qu'on en distingua une seconde ; — tantôt elles étaient visibles, tantôt elles disparaissaient dans les cavités des flots ; bientôt deux canots se dessinèrent aux regards, puis on ne tarda pas à reconnaître des visages amis dans les traits basanés de ceux qui les montaient ; les pirogues s'avancèrent en effleurant les flots écumeux et en agitant comme des ailes leurs légers avirons ; — tantôt posées sur la cime des vagues, tantôt précipitées à une immense profondeur au milieu du fracas de l'onde amoncelant ses nappes d'écume ou lançant en l'air ses larges flocons réduits en une fine poussière comme celle du grésil ; enfin les deux barques, rasant les lames comme des oiseaux par un temps d'orage, vinrent toucher la rive. L'art qui les guidait semblait dû à la nature elle-même, — tant ils ont d'habileté sur les flots, ces insulaires habitués à se jouer avec l'Océan !

VIII

Et quelle est cette femme qui la première s'élance sur le rivage comme une néréide sortant de sa conque, cette femme à la peau basanée mais brillante, aux yeux humides, étincelants d'amour, d'espoir et de constance ? C'est Neuha, l'aimante, la fidèle, l'adorée ; — son cœur, où le sentiment déborde, s'épanche dans celui de Torquil ; elle sourit et pleure, et l'embrasse plus étroitement encore, comme pour s'assurer que c'est bien lui qu'elle presse dans ses bras ; elle tressaille à l'aspect de sa récente blessure ; puis, voyant qu'elle n'est pas dangereuse, elle sourit et pleure encore. Elle est fille d'un guerrier, elle peut supporter la vue du sang, s'émouvoir, s'affliger, mais non désespérer. Son amant vit. Point d'ennemis, point de terreurs capables d'étouffer dans son cœur ce moment de délicieuse ivresse ;

la joie brille dans ses larmes ; la joie donne à son cœur ce bat-
tement si fort qu'on pourrait presque l'entendre, et le paradis
respire dans les soupirs de cette enfant de la nature, oppressée
sous le poids de son ravissement.

IX

Les hommes farouches témoins de cette entrevue se sentirent
émus : qui ne le serait au spectacle de deux cœurs aimants qui se
revoient ! Christian, lui-même, en contemplant la jeune fille et
le jeune homme, ne sentit point, il est vrai, ses yeux humides de
larmes ; mais une joie sombre se mêla dans son âme à ces pensées amères qui surgissent au souvenir sans espoir d'un bonheur qui n'est plus, quand tout a disparu, tout, jusqu'au dernier
rayon de l'arc-en-ciel. «Sans moi !» se dit-il, et il se détourna ;
puis il regarda les deux jeunes gens, comme dans sa tanière
un lion regarde ses lionceaux ; puis il retomba dans sa morne
rêverie, comme un homme désormais indifférent à sa destinée
ultérieure.

X

Mais il fut court l'intervalle laissé à leurs pensées bonnes ou
mauvaises ; sur les flots voisins du promontoire se fit entendre
le bruit des rames ennemies. — Hélas ! Pourquoi ce son les
effraie-t-il ? Tout ce qui les entoure semble ligué contre eux,
tout, hormis la jeune fille de Toubonaï : à peine a-t-elle aperçu
dans la baie les chaloupes armées qui s'avancent en hâte pour
consommer la ruine de ce qui reste des révoltés, à un signe
qu'elle leur fait les Sauvages qui l'entourent se rendent à leurs
pirogues, et y embarquent leurs hôtes européens ; dans l'une
on place Christian et ses deux compagnons ; mais Neuha et
Torquil ne se sépareront plus. Elle le fait asseoir dans sa pirogue.
«Fuyez ! Fuyez !» Ils franchissent les brisants, sillonnent la baie
avec la rapidité d'un trait, et, se dirigeant vers un groupe d'îlots

où l'oiseau de mer suspend son nid, où le phoque établit son repaire, ils effleurent les cimes bleues des vagues ; rapide est leur fuite, et rapide la marche de ceux qui les poursuivent sans relâche. Un moment ils sont gagnés de vitesse ; l'instant d'après ils reprennent leur avantage, et laissent loin derrière eux les menaces de leurs ennemis ; bientôt les deux canots se séparent et suivent deux directions différentes, pour rendre la poursuite plus difficile. « Fuyez ! Fuyez ! » À chaque coup de rame il y va de la vie, et plus que de la vie pour Neuha : l'amour est embarqué sur sa frêle nacelle, et son souffle la pousse vers une retraite protectrice, — et maintenant le refuge et l'ennemi ne sont plus qu'à deux pas ; — encore, encore un moment ! « Fuis, arche légère, fuis ! »

Chant quatrième

I

Blanc comme une blanche voile sur une mer obscure, quand une moitié de l'horizon est sereine et l'autre nébuleuse, comme une voile qui voltige entre la vague sombre et le ciel, est le dernier rayon de l'Espérance aux regards de l'homme placé dans un extrême péril. Son ancre est partie, mais nos yeux découvrent encore sa voile de neige à travers la plus rude tempête ; bien que chaque vague qu'elle franchit l'éloigne de plus en plus de nous, du rivage le plus solitaire le cœur ne cesse de la suivre.

II

À peu de distance de l'île de Toubonaï, un noir rocher s'élève au milieu des ondes ; c'est un asile pour les oiseaux, un désert pour l'homme ; là le phoque vient s'abriter contre le vent, s'endort pesamment dans sa noire caverne, ou se livre à ses lourds ébats aux rayons du soleil ; l'écho n'apporte à la pirogue que le hasard amène près de ce lieu que le cri perçant de l'oiseau des mers, ce pêcheur ailé de la solitude qui élève sur le roc nu sa jeune couvée. Une étroite bande de sable doré forme une sorte de plage ; c'est là que la jeune tortue, brisant son œuf, se traîne en rampant vers les flots paternels, nourrisson du jour, que la lumière fit éclore, et qu'un soleil créateur couve pour l'Océan ; le reste n'est qu'un sombre précipice, un de ces lieux qui n'offrent que le désespoir au marin naufragé, qui lui font regretter le tillac qu'ont englouti les flots, et envier le destin de ceux qui ont péri. Tel était le lugubre asile que Neuha avait choisi pour y soustraire son amant à la poursuite de ses ennemis ; mais tous les secrets de ce lieu n'étaient pas révélés, elle y connaissait un trésor caché à tous les yeux.

III

Près de cet endroit, avant que les canots se séparassent, les rameurs de l'esquif dépositaire du destin de Torquil passèrent, par l'ordre de Neuha, dans celui où était Christian, afin d'en accélérer la vitesse. Christian voulut s'y opposer ; mais avec un sourire calme, la jeune fille, montrant du doigt l'île rocheuse, lui dit : « Fuyez et soyez heureux ! » ajoutant qu'elle se chargeait de ce qui concernait le salut de Torquil. Ils partirent avec cet accroissement de force ; la pirogue s'élança, rapide comme une étoile qui file, laissant loin derrière elle ceux qui la poursuivaient. Ceux-ci se dirigèrent alors en droite ligne vers le rocher auprès duquel était l'esquif de Neuha et de Torquil. Les deux amants redoublèrent d'efforts ; le bras de Neuha, bien que délicat, était adroit et robuste, accoutumé à lutter contre la mer, et le cédait à peine à la vigueur plus mâle de Torquil. Bientôt il n'y eut plus que la longueur d'une pirogue entre eux et ce roc escarpé, inexorable, n'ayant à sa base qu'une mer sans fond ; à une distance de cent pirogues était l'ennemi. Après leur fragile canot, quel allait être en ce moment leur refuge ? c'est ce que demanda Torquil avec un coup d'œil de demi-reproche qui semblait dire : « Neuha m'a-t-elle amené ici pour m'y sacrifier ? Ce roc est-il un lieu de salut ? N'est-ce pas plutôt un tombeau, et cet énorme rocher un monument funèbre élevé au sein des mers ? »

IV

Ils se reposèrent sur leurs rames ; Neuha se leva, et, montrant l'ennemi qui approchait, elle s'écria : « Torquil, suis-moi, et suis-moi sans crainte!» Elle dit, et soudain plongea dans les profondeurs de l'Océan. Il n'y avait pas de temps à perdre, ses ennemis étaient près de lui. Il voyait déjà leurs chaînes, entendait leurs voix menaçantes; ils faisaient force de rames, et en s'approchant, ils le sommaient de se rendre, l'appelant par le nom qu'il avait renié. Il plongea à son tour. Il était habile nageur, et c'est de là qu'allait maintenant dépendre son salut. Mais où et comment? Il plongea et ne reparut plus; l'équipage de la chaloupe regarda plein d'étonnement la mer et le rocher. Il n'y avait pas possibilité de débarquer sur ce précipice rude, escarpé et glissant comme une montagne de glace. Ils attendirent pendant quelque temps pour voir s'il reviendrait sur l'eau; mais rien ne remonta à la surface des flots, qui continuèrent comme auparavant leurs paisibles ondulations; ils avaient disparu dans l'abîme sans laisser d'eux aucune trace; un léger bouillonnement avait seul suivi leur immersion, une faible écume blanche avait surgi un instant sur ce qui semblait leur dernière demeure, blanc sépulcre élevé sur ce couple qui n'avait point laissé après lui de marbre funéraire; la pirogue vide qu'on voyait sur les flots se balancer tranquille (comme l'affliction d'un héritier), voilà tout ce qui rappelait la présence de Torquil et de sa fiancée; et sans ce vestige unique, on eût pu croire que le tout n'était que la vision évanouie du rêve d'un matelot. Ils s'arrêtèrent et cherchèrent inutilement, puis ils s'éloignèrent; la superstition elle-même leur défendit de rester plus longtemps. Les uns dirent que Torquil n'avait pas plongé dans les flots, mais qu'il s'était évanoui comme la flamme sépulcrale qui luit sur les tombeaux; d'autres, qu'il y avait dans sa personne quelque chose de surnaturel, et que sa taille était plus haute que celle d'un mortel; et tous s'accordèrent à déclarer que son visage et ses yeux portaient la sombre empreinte de l'éternité. Cependant, tout en s'éloignant du rocher, ils s'arrêtèrent un moment auprès de chaque touffe de plantes marines qu'ils rencontraient, s'attendant à voir paraître quelque vestige de leur proie; mais non, il s'était évaporé sous leurs yeux comme l'écume des flots.

V

Et où était-il, le pèlerin de l'abîme, parti à la suite de sa néréide ? Avaient-ils pour toujours cessé de verser des pleurs, ou, reçus dans des grottes de corail, obtenu la vie de la pitié des vagues ? Habitaient-ils avec les mystérieux souverains de l'Océan, faisant résonner avec les tritons la conque fantastique ? Neuha était-elle au milieu des sirènes, relevant les tresses de sa chevelure, ou les abandonnant aux vents et les laissant flotter sur les ondes ? ou bien avaient-ils péri, et dormaient-ils en silence dans le gouffre où ils s'étaient courageusement précipités ?

VI

La jeune Neuha avait plongé dans l'abîme, et Torquil l'avait suivie ; elle nageait dans sa mer natale comme si c'eût été son élément, tant il y avait de grâce et d'aisance dans le mouvement rapide dont elle fendait l'onde ; on voyait au sein des flots briller, comme un acier amphibie, ses pieds agiles, qui laissaient derrière eux un long sillon de lumière. Presque aussi exercé qu'elle à sonder les profondeurs où les pêcheurs vont chercher les perles, Torquil, l'enfant des mers septentrionales, la suivit avec joie et sans peine dans sa route liquide. Neuha, lui montrant le chemin, commença par plonger plus avant ; puis, remontant à la surface des flots, — elle étendit les bras, essuya l'eau dont ruisselait sa chevelure, et fit entendre un rire dont le son fut répété par l'écho des rochers. Ils étaient arrivés au sein d'une cavité terrestre où ni arbres, ni champs, ni firmament, ne s'offraient au regard. Autour d'eux s'étendait une caverne spacieuse dont l'unique entrée était sous les flots, portique inaperçu du soleil, si ce n'est à travers le voile verdâtre des vagues, par l'un de ces beaux jours transparents où il y a fête sur l'Océan et où le peuple des poissons se divertit. La jeune fille, avec sa chevelure, essuya les yeux de Torquil et battit des mains de joie en voyant sa surprise ; puis elle le conduisit à un endroit où le roc paraissait faire saillie et former comme une grotte de tritons ; car tout était ténèbres au premier moment, jusqu'à ce qu'un faible jour pénétrât par les fenêtres supérieures. Comme dans la nef à demi éclairée d'une vieille cathédrale les monuments poudreux se refusent à la lumière, ainsi dans leur asile sous-marin la caverne empruntait à son aspect même la moitié de ses ténèbres.

VII

La jeune Sauvage tira de son sein une torche de pin étroitement enveloppée de gnatou, le tout recouvert d'une feuille de plantain, afin de mettre à l'abri de l'humidité pénétrante l'étincelle recélée dans ce bois ; ce manteau l'avait maintenue sèche ; ensuite, dans un pli de la même feuille de plantain, elle prit un caillou, quelques brins de bois desséché ; à l'aide du couteau de Torquil, elle fit jaillir une étincelle, alluma sa torche et éclaira la grotte. Elle était haute et vaste, et présentait une voûte gothique de formation naturelle ; l'architecte de la Nature en avait élevé les arceaux ; un tremblement de terre avait sans doute érigé l'architrave ; l'arc-boutant avait peut-être été détaché du flanc de quelque montagne à l'époque où les pôles avaient fléchi et où l'onde était tout l'univers ; peut-être aussi le feu absorbant de la terre l'avait-il solidifié quand le globe fumait encore sur son bûcher funèbre ; les cintres sculptés, les bas-côtés, la nef, s'y trouvaient exécutés par la Nuit dans cette caverne, son ouvrage. En prêtant un peu à l'illusion, on eût pu voir grimacer en l'air ces figures fantastiques, et l'œil eût pu se reposer sur une mitre ou sur le crucifix d'une chapelle. C'est ainsi qu'avec les stalactites, la Nature, en se jouant, s'était bâti une église sous-marine.

VIII

Et Neuha prit son Torquil par la main, et agitant sous la voûte sa torche allumée, elle lui fit visiter chaque coin de leur nouvelle demeure, et lui en montra tous les secrets détours. Elle ne se borna pas là, car d'avance elle avait tout préparé pour adoucir le sort de son amant, ce sort partagé par elle : la natte pour se reposer, le gnatou pour se vêtir, et l'huile de sandal pour se défendre de l'humidité ; pour nourriture la noix de coco, l'igname, le fruit de l'arbre à pain ; pour table, une large feuille de plantain ou une écaille de tortue dont la chair fournissait le festin ; la gourde pleine d'une eau récemment puisée au ruisseau limpide, la banane mûre cueillie sur la colline ; une provision de branches de pin pour maintenir une lumière perpétuelle, et elle-même, belle comme la nuit, répandant sur le tout le charme de sa présence, et éclairant de sa sérénité leur monde souterrain. Depuis que le navire de l'étranger avait approché leur île, elle avait prévu que la force ou la fuite pourrait être impuissante, et elle avait, dans cette caverne de rochers, préparé à Torquil un refuge contre la vengeance de ses compatriotes. Chaque matin la brise avait poussé vers ce lieu sa pirogue agile chargée de tous les fruits les plus beaux ; chaque soir l'avait vue transporter au même endroit tout ce qui pouvait égayer ou embellir leur boudoir de cristal ; et maintenant elle étala devant lui tous ses petits approvisionnements, la plus heureuse des filles de ces îles d'amour.

IX

Voyant qu'il la regardait avec une surprise reconnaissante, elle pressa sur son cœur passionné cet amant sauvé par elle ; et tout en lui prodiguant ces douces caresses, elle lui raconta une vieille histoire d'amour, — car l'amour est vieux, vieux comme l'éternité, bien qu'il rajeunisse avec chaque être nouveau-né ou à naître ; elle lui dit comment un jeune chef, il y avait de cela mille lunes, s'amusant un jour à plonger pour pêcher des tortues, était arrivé, à la poursuite de sa proie, dans cette même caverne où ils se trouvaient en ce moment ; comment, plus tard, au milieu d'une guerre sanglante, il y abrita une jeune captive, une ennemie adorée, fille d'un père ennemi de sa tribu, et dont on n'avait sauvé la vie que pour la condamner à l'esclavage ; comment, quand la tempête de la guerre fut calmée, il conduisit sa nation insulaire à l'endroit où les flots couvrent de leur ombre verdâtre l'entrée de la caverne, puis plongea, — selon toute apparence, pour ne plus revenir ; comment ses compagnons étonnés, immobiles dans leurs pirogues, le crurent insensé, ou devenu la proie du bleu requin ; comment, pleins de tristesse, ils firent en ramant le tour du rocher environné par les ondes, puis s'arrêtèrent et se reposèrent sur leurs rames, lorsque tout à coup ils virent s'élever du sein des vagues une déesse, — telle du moins elle leur parut dans leur crainte respectueuse, et à ses côtés leur compagnon glorieux et fier de la néréide, sa fiancée ; comment, quand ce mystère eut été expliqué, le jeune couple fut ramené en triomphe au rivage, au bruit des conques et des acclamations joyeuses ; comment ils vécurent en joie et moururent en paix. Et pourquoi n'en serait-il pas de même de Torquil et de sa fiancée ? Je n'entreprendrai pas de dire les ravissantes caresses qui, dans cette sauvage retraite, suivirent ce récit ; pour eux, dans cette caverne, tout était amour, bien qu'ils fussent ensevelis dans une tombe plus profonde que celle où Abailard, après vingt ans de mort, ouvrit les bras pour recevoir le corps d'Héloïse descendu dans leur caveau nuptial, et pressa sur son cœur ranimé les restes adorés de son amante. Au-dehors, les vagues murmuraient autour de leur couche : ils ne faisaient pas plus attention à leur mugissement que s'ils eussent été privés de vie ; au-dedans, leurs cœurs étaient toute leur harmonie, formée des murmures entrecoupés de l'amour, et de ses soupirs plus entrecoupés encore.

X

Et ces hommes, causes et victimes avec eux de la calamité qui les exilait dans les profondeurs de ce rocher, où étaient-ils ? Ils fuyaient sur les flots pour sauver leurs jours ; ils demandaient au ciel le refuge que leur déniaient les hommes. Ils avaient vogué dans une autre direction, — mais où? La vague qui les portait portait aussi leurs ennemis, qui, désappointés dans leur première chasse, se remirent avec une nouvelle ardeur à la poursuite de Christian. La colère ajoutant à leur impatience, ils redoublèrent d'efforts, comme des vautours à qui une première proie a échappé. Les fugitifs se virent bientôt gagnés de vitesse, et il ne leur resta plus qu'à chercher leur salut sur quelque roc inaccessible ou dans quelque anse écartée; ils se dirigèrent vers le premier rocher qu'ils virent pour y donner à la terre un dernier regard, comme victimes, ou mourir les armes à la main; ils renvoyèrent les insulaires et leur canot; ceux-ci offraient de combattre pour eux jusqu'à la fin, malgré l'infériorité de leur nombre; mais Christian exigea qu'ils regagnassent leur île, et ne se sacrifiassent pas sans utilité; car que pouvaient la lance et l'arc du Sauvage contre les armes qui allaient être employées en cette occasion?

XI

Ils débarquèrent sur un espace étroit et sauvage, qui ne portait guère que l'empreinte des pas de la Nature, préparèrent leurs armes; et avec ce regard sombre, farouche et déterminé de l'homme réduit à sa dernière extrémité, alors qu'il a dit adieu à l'espérance, qu'il ne lui reste même plus celle de la gloire pour fortifier son courage contre la perspective de la mort ou de la captivité, — ils attendirent l'ennemi, ces trois combattants, comme autrefois les trois cents qui rougirent les Thermopyles d'un sang sacré. Mais, hélas! quelle différence entre les uns et les autres! C'est la cause qui fait tout, qui dégrade ou sanctifie le courage dans sa chute. Au-dessus de leur tête nulle gloire éternelle, intense, ne brillait à travers les nuages de la mort et ne les appelait à elle; point de patrie reconnaissante qui, leur souriant à travers ses pleurs, entonnera un hymne de louanges que dix siècles continueront; les yeux d'une nation ne se fixeront pas sur leurs tombes; nul héros ne leur enviera leur monument. Avec quelque bravoure que leur sang fût versé, leur vie était infâme, et leur crime formera leur épitaphe. Et tout cela, ils le savaient et le sentaient, celui-là du moins, chef de la bande qui lui devait sa ruine ; né peut-être pour de meilleurs destins, il avait joué sa vie sur des chances qui allaient se décider ; maintenant les dés allaient être jetés, et toutes les probabilités étaient en faveur de sa chute, et quelle chute ! Néanmoins il faisait face au danger, impassible comme un fragment du rocher où il s'était posté, et sur lequel il appuyait le canon de son fusil mis en joue, sombre comme un nuage noir devant le soleil.

XII

La chaloupe s'approcha ; ceux qui la montaient étaient bien armés, décidés à faire tout ce que le devoir exigerait d'eux, et insouciants du péril comme l'est des feuilles qu'il abat le vent qui poursuit sa course sans regarder en arrière. Et pourtant ils eussent préféré pour ennemis des étrangers à des compatriotes, et sentaient que ces malheureux, victimes de leur obstination, avaient été Anglais, bien qu'ils eussent cessé de l'être. Ils leur crièrent de se rendre ; — pas de réponse ! Leurs armes furent mises en joue et brillèrent aux rayons du soleil. Nouvelle sommation, — pas de réponse ! Pour la troisième fois ils leur offrirent la vie d'une voix plus haute que la première. L'écho seul des rochers répéta les sons mourants de leur dernière parole. Alors la lumière des mousquets brilla ; leurs canons dardèrent des flammes, et la fumée s'éleva entre eux et leurs ennemis, pendant que les balles vinrent frapper, mais en vain, le rocher sonore, et retombèrent aplaties. Alors se fit entendre la seule réponse que dussent donner ceux qui avaient perdu toute espérance sur la terre et dans le ciel. Après cette première décharge, les assaillants s'approchaient, quand la voix de Christian cria : « À présent, feu ! » Et avant que l'écho eût répété ses paroles, deux hommes tombèrent ; les autres escaladèrent le flanc âpre du rocher, et, furieux de la démence de leurs adversaires, ne s'occupèrent plus qu'à les joindre pour les combattre corps à corps. Mais le roc était escarpé ; nul sentier n'y était pratiqué ; chaque pas offrait un bastion à leur colère, tandis que, postés sur les sommets les plus inaccessibles que l'œil exercé de Christian avait parfaitement reconnus, tous trois continuèrent une défense désespérée dans des lieux dont l'aigle eût pu faire choix pour y placer son aire. Chacun de leurs coups portait, et les assaillants tombaient, brisés sur les récifs comme des coquillages ; mais ceux qui survivaient étaient nombreux encore ; ils continuèrent à monter, se dispersèrent çà et là, et finirent par cerner et dominer complètement les trois assiégés, qui, trop loin encore pour être pris, assez près pour être tués, virent leur destin ne tenir plus qu'à un fil, comme des requins qui ont avalé l'appât des pêcheurs ; néanmoins ils se défendirent jusqu'au dernier instant ; pas un gémissement ne fit connaître à leurs ennemis qui des trois succombait ; Christian mourut le dernier : blessé deux fois, quand on vit couler son sang, on lui demanda encore de se rendre ; en ce qui concernerait sa vie, il n'était plus temps ; mais il n'était pas trop tard pour que la main d'un de ses semblables, fût-ce même celle d'un ennemi, lui fermât les yeux. Un de ses membres ayant été brisé, son corps avait fléchi, et il gisait étendu sur le rocher, comme un faucon privé de ses petits. La voix qui lui parlait sembla le ranimer ou réveiller en lui une émotion qu'exprima un faible geste ; il fit signe aux plus avancés de venir à lui ; pendant que ceux-ci s'approchaient, il souleva son fusil ; — il avait tiré sa dernière balle, il arracha sur sa poitrine le bouton supérieur de sa veste, le mit dans le canon en guise de balle, ajusta, fit feu, et sourit de voir son ennemi tomber ; puis, comme un serpent, il traîna en rampant son corps blessé et débile à l'endroit où le roc dominait les flots avec un escarpement aussi horrible que son désespoir, jeta un regard en arrière, ferma le poing, frappa dans un dernier mouvement de rage la terre qu'il allait quitter, puis se précipita : le roc reçut sur sa base son corps brisé comme du verre, n'offrant plus qu'une masse de sang sans un lambeau dont pût se repaître l'oiseau des mers ou le ver ; une touffe de cheveux blonds entremêlée d'herbes et de sang, voilà tout ce qui resta de ses crimes et de lui ; quelques fragments de ses armes (jusqu'au dernier moment sa main les avait retenues avec force) brillaient encore à quelque distance, — dispersés çà et là et destinés à se rouiller sous la rosée et l'écume des vagues. Hormis cela il ne restait plus rien, sauf une vie mal employée, et une âme ! Mais qui peut affirmer où elle est allée ? C'est à nous à porter les morts, non à les juger ; et ceux qui vouent les autres à l'enfer en prennent eux-mêmes la route ; à moins qu'à ces farouches distributeurs des peines éternelles, Dieu ne pardonne leur mauvais cœur en faveur de l'état plus déplorable encore de leur cervelle.

XIII

Le combat était terminé ! Tout avait disparu ou était pris ; tout était ou fugitif, ou captif, ou mort. Enchaînés sur ce même tillac où naguère, équipage courageux, ils figuraient avec honneur, étaient le petit nombre de ceux qui avaient survécu au combat livré dans l'île ; mais le dernier rocher n'avait laissé aux mains des vainqueurs aucune dépouille vivante. Ils gisaient glacés et baignés dans leur sang à l'endroit où ils avaient succombé. Les oiseaux de mer accourus des flots voisins vinrent tournoyer au-dessus d'eux, agitant leurs ailes humides, et leur donnant pour hymne funèbre le concert discordant de leurs cris affamés. Plus bas, la vague, dans son éternelle indifférence, continua à onduler insouciante et tranquille ; les dauphins continuèrent à se jouer à sa surface, l'oiseau volant à s'élancer vers le soleil, jusqu'à ce que, monté à une faible hauteur, son aile desséchée l'obligeât à redescendre pour s'humecter et reprendre un nouvel essor.

XIV

L'aurore avait paru ; Neuha, s'étant, à la pointe du jour, élevée légèrement au-dessus de l'eau pour voir les rayons du soleil naissant, et épier si personne ne s'approchait de la retraite amphibie où était caché son amant, aperçut à quelque distance une voile ;

ses plis ondulèrent, puis elle se gonfla, puis présenta au souffle de la brise sa large toile courbée en voûte. Le cœur de Neuha commença à battre de crainte, la respiration à lui manquer, dans le doute où elle était de la direction qu'allait prendre le navire. Mais non ! il ne s'approcha pas ; elle le vit s'éloigner de la baie, et son ombre décroître rapidement dans le lointain. Elle essuya ses yeux humides de l'écume des flots, et regarda de nouveau comme pour chercher un arc-en-ciel à l'horizon. Elle aperçut le navire déjà bien loin ; il diminua, ne parut bientôt que comme un point noir, — puis disparut. Tout était océan, tout était joie ! Elle plongea, et alla dans la grotte appeler son amant, lui dit tout ce qu'elle avait vu, tout ce qu'elle espérait, et tout ce que l'amour heureux voyait dans le passé et l'avenir ; elle reprit sa route humide ; Torquil suivit avec joie sur la vaste mer sa bondissante néréide ; ils firent à la nage le tour du rocher, pour remonter dans leur pirogue. La veille, lorsque les étrangers les avaient poursuivis, Neuha avait laissé son esquif flottant sans rames à la merci des flots ; mais après leur départ, elle avait été le reprendre, l'avait ramené et caché dans une embrasure du rocher, où maintenant ils le trouvèrent, et jamais ne vogua sur l'Océan plus d'amour et de joie que n'en porta en ce moment cette fragile nacelle.

XV

Ils revirent leur rivage bien-aimé, que ne souillait plus rien d'ennemi ; sur les flots, plus de navire menaçant, de prison flottante : tout était espérance et joie du foyer ! D'innombrables pirogues couvrirent la baie et ramenèrent les deux amants au son des conques marines ; les chefs vinrent les recevoir, la population accourut, et salua Torquil comme un fils retrouvé ; les femmes entourèrent Neuha, l'embrassèrent et lui demandèrent jusqu'où on les avait poursuivis, comment ils avaient échappé. Elle leur raconta tout ; une acclamation unanime frappa les airs, et depuis ce temps une nouvelle tradition donna au sanctuaire qui les avait abrités le nom de «caverne de Neuha». Cent feux allumés sur les hauteurs illuminèrent les ténèbres de la nuit, et éclairèrent la fête générale en l'honneur de leur hôte, rendu à la paix et au plaisir si chèrement achetés; et cette nuit fut suivie d'heureux jours, tels qu'un monde enfant peut seul en offrir encore.

Achevé d'imprimer en Italie par Grafica Veneta
en mai 2018
Dépôt légal décembre 2012
EAN 9782290058480
OTP L21ELLN000489C002

—

Ce texte est composé en Lemonde journal et en Akkurat

—

Conception des principes de mise en page :
mecano, Laurent Batard

—

Composition : PCA

—

ÉDITIONS J'AI LU
87, quai Panhard-et-Levassor, 75013 Paris
Diffusion France et étranger : Flammarion

Librio

1054